（共生　孤食　口唇　食客　海賊
異人　味会　坐辺　飲食　寄生）

食客論《しょっかくろん》

星野太

講談社

食客論

目次

人莫不飲食也、鮮能知味也（『中庸』）

第一章

共生

他人と生きることが得意ではない。

そのような感覚をもつ人は、おそらく珍しくないように思う。ほかならぬわたしもそのひとりである。だれかと生活を共にすることにはいくばくかの喜びがともなうが、そのためには同じくらいの、時にはそれ以上の苦しみがともなう。また、人生のさまざまな場面で他人とうまくやっていくことは、もちろんそれなりに必要なことだとはいえ、そこには名状しがたい泥のような労苦がともなうことも事実である。

しかしそれでも、われわれはそのような生を生きなければならない――のだろうか。すくなくとも言えるのは、いわゆる通常の「社会」から離脱しようと試みたところで、それはいくぶん空疎な努力にすぎないということだ。人はしばしば具体的な他者との関係に疲弊し、あるいは絶望し、その社会関係から「下りる」ことを選択する。それは、当の人物が抱えている問題が具体的なものである場合、むろん合理的な選択であることもあろう。しかし、それがなかば抽象的な厭世観にもとづく行為である場合、その多くは徒労に終わることをまぬがれない。たとえどこまで遠くに逃げようと、そこにはつねに、ひとりならざる他者がいる。「わたし」はけっしてひとりになれない。そのような意味において、「共生」とは達成されるべき理念などではなく、われわれがあらかじめ巻き込まれている所与の現実のことである。

ここ二〇年ほどのことだろうか。「共生」という言葉がさまざまな場面で目につくようになった。

それは、たんにわたしの主観的な印象によるものではないはずだ。たとえば今すぐ文部科学省のウェブサイトを開いて、一般に公開されているそれらしい事業報告書に目を通してみればよい。そこでは「共生社会」や「多文化共生」といったしかたで、この言葉がごく自然に用いられるさまを目にすることができる。

むろん、ここではそうした言葉が名指そうとする社会的現実を軽視するつもりもなければ、そうした取り組みがもつ社会的意義を否定するつもりもない。ただし次のことには注意しておくべきである。すなわち、長い時間をかけてほとんど無内容な記号として流通を始めた言葉は、しばしば人をその内実から遠ざける。げんにそうした行政文書が謳うのは、これまで括弧つきの「社会」から排除されてきた弱者や少数者を「包摂」しなければならない、あるいはそうすべきであるといった内容であろう。しかし、それは端的に社会的正義の問題であって、厳密には共生の問題ではない。さきほども言ったように、われわれはけっして「ひとり」になれない。それゆえ共生とは高邁な理想であるよりも前に、われわれがけっして抗うことのできない現実のことである。だから、そこに何らかの質的差異が――たとえば「良い共生」だとか「悪い共生」だとかいったものが――存在するというならばともかく、共生それ自体が目指すべきゴールであるといったような言葉づかいには、やはりどこか違和感がつきまとう。

ゆえに、共生をめぐる問いが立てられるとすれば、それはいかにして共に生きるか、という疑問文のかたちをとらねばならない。われわれは、つねにすでに、他者とともに生きてしまっている。共生というのはあくまで所与であり、真に問われるべきはその内実である。ちなみに、ここでいう「他者」とはおもに人間のことを指しているが、それ以外の動物、植物、微生物にいたるまで、われわれの存在様態はさまざまな他者との共生なしにはありえない。これから先では「他者」という言葉を、とくに断りなくそのような意味で用いる。

いかにして共に生きるか

ロラン・バルトは、一九七七年にコレージュ・ド・フランスで「いかにして共に生きるか」と題する連続講義を行なった。六〇歳をわずかに越えたばかりのこの批評家が、コレージュ・ド・フランスで担当したはじめての連続講義である。バルトはこの講義の三年後、一九八〇年にパリ市内で起こった交通事故がきっかけでこの世を去っている。そのため当の講義の内容が、生前なんらかの仕事にまとめられることはなかった。そしてわれわれの前には、二〇〇二年になって公にされた、その講義ノートだけが残されている。[*1]

バルトのコレージュ・ド・フランス講義「いかにして共に生きるか」は、一九七七年の一月一二日から五月四日までの水曜日に一時間ずつ、計一四回行なわれた。

この批評家はその前年にあたる一九七六年三月一四日に、ミシェル・フーコーの推挙により、このフランスでもっとも権威ある学術機関のメンバーに選出されていた。まずはセレモニアルな「開講講義」が翌七七年の一月七日に行なわれ、連続講義「いかにして共に生きるか」はその五日後に始まっている。知られるように、コレージュ・ド・フランスは大学などとは異なり、いわゆる学位の授与を目的とした教育機関ではない。その講義は万人に開放されており、基本的にだれでも聴講することができる。講義録の序文を書いたクロード・コストによれば、この当代随一の批評家の講義をじかに聞こうと、教室にはおびただしい数の聴衆が詰めかけたという。そのため、別室に同時中継するための機器が用意されるなど、当時としては例外的ないくつかの対策も講じられた。しかし今日ならばともかく、なにぶん一九七〇年代半ばのことである。肝腎の音響機器にトラブルもあり、講義の環境は理想的なものにはほど遠かったという。

録音記録からもわかるように、講義が行なわれた環境は快適というにはほど遠かった。知的関心の高さからか、それとも俗っぽい好奇心や流行現象に踊らされてのことか、おびただしい聴衆がつめかけたことで、コレージュは隣室にスピーカーをとりつけて、この教授の言葉を生中継せざるをえなかった。とりわけ第一回目の講義は、伝送システムの不具合により何度も中断された。たびかさなる技術的不具合を前に、聴衆は失笑しつつも苛立ち、スタッフは汗をかき、教授は居心地の悪い思いを味わった。その後まもなく状況は改善されたものの、授業のやりにくさは一年中つきまとった。[*2]

このトラブルの模様は、前出の講義ノートとあわせて二〇〇二年に発売された、同講義のCD－ROMでも確認することができる。残っているのは録音のみのため、現場でじっさい何が起こっていたのか判然としない場面も多いが、その環境が静謐さからほど遠かったことはよくわかる。

これから共生をめぐる問いを開くにあたり、この講義にしばし耳を傾けてみたい。バルトが講義終了後にしたためた梗概を一読すれば、この批評家の関心がいかなるところにあったのかは明白である。バルトは「いかにして共に生きるか」をめぐる問いを、その社会的な諸形態――たとえば家族やカップルなど――に即して考えるのではなく、むしろ個人の自由を阻害しないような、ごく限られた集団による共同生活を通じて考えようとした。後述するように、かれはその理想的な様態を、ある秘教的な生のうちに見いだすことになる。それにあたってバルトが導入したのが「イディオリトミー」といういささか耳慣れない言葉であった。コレージュ・ド・フランス年鑑のために書かれた梗概には次のようにある。

われわれが望んだのは、ある特殊な想像的《イマジネール》なものの探求であった。つまり「共生」を〈社会、ファランステール、家族、カップルといった〉あらゆる形態において考えるのではなく、共同生活が個人の自由を阻害しないような、ごく限られた集団における「共生」をもっぱら探求しようとしたのである。ある宗教的モデル、とりわけアトス山のそれに着想を得るかたちで、われわれはこの想像的なものをイディオリトミーの幻想《ファンタスム》と名づけた。*3

いったいこの「イディオリトミー」とは何なのか。

イディオリトミー

ここでバルトがさらりと用いている「イディオリトミー（idiorrythmie）」とは、ギリシア語の「イディオス（特殊な、自分の）」と「リュトモス（流れ、リズム）」からなる合成語である。その原義が示唆するように、これは「自分のリズム」、さらにそこから転じて「理想的なリズム」を意味する。ただし、これはもっぱら後述する宗教的な含意のもとで用いられる言葉であり、本来それ以外の場面で目にすることはほとんどない。

では、その言葉はどこからやってきたのか。先の講義録によれば、バルトはこの表現を、その前年に出たばかりの『ギリシアの夏』（一九七六）という書物のなかに見いだした。著者はジャック・ラカリエール。日本ではほとんど知られていないと思われるこの人物は、一九二五年にリモージュに生まれ、二〇〇五年にパリに没した在野の作家であり、とりわけギリシアにまつわる数多《あまた》の著作物を残したことで知られる。なかでも、およそ二〇年にわたるギリシア旅行の経験にもとづいて書かれた『ギリシアの夏』は、当時の読書界にも好評をもって迎えられた。したがって、くだんのコレージュ・ド・フランス講義の前年に出たこの本をバルトが読んでいたことに、さほど驚くべき理由は見当たらない。とはいえ、同書に登場するこの謎めいた言葉が、結果的に共生をめぐるバルトの思索の中心におかれることになったという事実は、やはりどこかに書きとどめておく必要があるだろう[*4]。

そのラカリエールの本に登場する「イディオリトミー」という言葉は、ギリシアのアトス山に存在する、ある特殊な生活形態を指している。いまなお、東方正教会の中心地として――あるいは世界遺産として、というべきか――知られるこの山には、修道院に属しながら各々のリズムで生活する者たちの共同体があるという。イディオリトミーとは、その修道士たちに許された「理想的なリズム」のことなのであった。

ラカリエール、およびそれに依拠するバルトによれば、このアトス山における修道士たちの生活は次のいずれかに二分される。すなわち一方には、食事、典礼、作業のいっさいを共同で行なう、通常われわれが思い浮かべるタイプの修道院がある。そしてもう一方には、修道士たちが一人ひとり個室をもち、それぞれ自由に食事をとるタイプの修道院がある。こちらが問題の「イディオリトミックな」修道院である。ラカリエールによると、後者の「奇妙な共同体においては、典礼でさえ、夜のミサを除けば各人の意志に委ねられている」。修道士の生活として、これがきわめて破格なものであることは言うまでもないだろう。

なぜバルトはこのアトスの修道院に関心を寄せたのか。それは、この「イディオリトミックな」修道院が、孤独とも集団生活とも異なる「中間的な」リズムを可能にする空間であるからだ。ここで生活を共にする修道士たちは孤独ではない――なぜならそこには、目的を同じくする仲間たちがいるのだから。なおかつ、かれらは共同での生活に疲弊することもない――なぜならそこでは、典礼や作業をはじめとするいっさいの職務を、みずからのリズムで執り行なうことができるのだから。つまりこの修道院は、各々が自分のリズムを手放すことなく、しかし共に生きることのできる理想的な空間なのだ。これらすべてをふまえつつ、バルトは「イディオリトミー」という言葉そのものを、「ユートピア的で、エデンの園のように牧歌的な」生の様態として定義しなおすのである。[*5]

ところで、こうした理想的な生について、あるいは共生について考えることは、いったい現実的にどこまで可能なのだろうか。それは、文字通りの「ユートピア」を、すなわち「不可能な場」を構想することと、ほとんど同義ではないだろうか。理想的な生、あるいは共生。どこまで行っても「共にある」という存在様態から逃れられないわれわれにとって、こうしたユートピアにも等しい場を構想することが、はたしてどこまで可能なのだろうか。

バルトが、この「イディオリトミー」といういくぶん奇異な言葉に助けを求めたのも、あるいはそうした事情に起因すると見るべきかもしれない。ギリシアという国家の中にありながら、特殊な査証なしには「入国」することのできない聖山アトス。かの地では、いまなお女性の立ち入りが禁じられており、その適用範囲は家畜にまでおよぶという徹底ぶりである（二〇〇三年以来、欧州議会から撤廃勧告がなされている）。もしも孤独と集団生活の双方を兼ねたユートピア的な空間がありうるとすれば、それはアトスのようなごく例外的な環境においてしか可能ではありえない。そんな諦念が、ここには見え隠れしないだろうか。

じっさい、バルトはこの共生をめぐる思弁が、あくまで個人的な幻想《ファンタスム》にすぎないという発言をことあるごとに繰り返している。肝腎の「イディオリトミー」にしてもそうだ。一人でも、二人でも、大人数でもない。たがいの孤独を分かち合い、なおかつ、たんなる馴れ合いに陥ることのない「イディオリトミックな」集合はいかにして可能なのか。いずれにせよ間違えてはならないが、それは「いかにして共に生きるか」をめぐる一般理論のようなものではない。それは、ありうべき生、ありうべき共生をめぐる、バルト個人の夢想の投影である。

日常性の詩学

そのことを念頭におきながら、先の講義の次第がどのようなものであったのかを、いましばし見ておこう。バルトは共生をめぐるさまざまなトポスを縦横無尽に開陳してはみせるものの、それら一つひとつを十全なしかたで論じつくすことはなかった。すくなくとも、当時の録音によってその講義を追体験しているわたしには、偽りなくそのように感じられる。むろんそれは、たんなる準備不足のような外的な事情に起因するものではなく、あくまでこの批評家の意図によるものであったと考えるのが自然である。

講義録『いかにして共に生きるか』の「まえがき」のなかで、エリック・マルティは、この講義が「たんに下調べのカードを読み上げているだけなのではないか」という印象を与えるものであると

――果敢にも――指摘している。[*6] わたしもこれに同感である。げんに、部分的にはほぼメモ書きに等しい講義ノートを手元で開きつつ、その録音を収めたCD－ROMに耳を傾けていると、両者の内容にほとんど違いがないことに驚かされる。そこから、六〇歳のバルトはもはや講義というものに「何も期待してはいなかったのだ」と早合点する読者がいたとしても、ある意味では致し方のないことかもしれない。

ちなみに、当該の講義録に序文を寄せたエリック・マルティ、クロード・コストのいずれもが、講義録が与える無味乾燥な見かけと、その充実した実態のギャップをいかに埋めるかということに腐心している。些細なことのようだが、これはやはり見過ごすことのできない事実である。というのも、べつの見方をすれば、それくらい両者の隔たりは大きいということだからだ。しかしながら、いくつかの状況証拠――たとえば、連続講義が始まる前の一月初旬には、すでにノートの大部分が書き上げられていたこと――から考えてみても、バルトがこのはじめてのコレージュ・ド・フランス講義に無関心をもって臨んだというのは、およそ考えにくいことである。

バルトは、この講義で何を語ろうとしていたのか。

ひとつだけはっきりしていることがある。それは、この連続講義でバルトが問題にしようとしていたのが、カップルのように「双数的」でも、グループのように「複数的」でもない、もっと曖昧で日常的な生活様式にかかわる事柄であったということだ。

これには若干の説明が必要だろう。バルトは、一九七四年から七六年まで、すなわちコレージュ・

ド・フランスでの開講講義の直前まで、かつての所属機関で「恋愛のディスクール」をテーマとするセミネールを行なっていた。これはのちに『恋愛のディスクール・断章』（一九七七）という美しい書物へと結実する。このほぼ同時期の仕事にふれながら、老齢の批評家は一九七七年一月一二日の第一講で次のように述べている。

> ここで問題としたいのは、〈二人で生きること〉でもなければ、〈恋愛のディスクール〉を――奇しくも――継承する〈疑似 - 夫婦のディスクール〉でもありません。それは人生、食習慣、生活様式、つまりディアイータ、養生法をめぐる幻想《ファンタスム》です。それは双数的でも、複数的（集団的）でもありません。それは何と言いましょうか、規則的に宙吊りにされる孤独のようなものであり、たがいの距離を分かちあうという逆説、矛盾、アポリア――つまり、距離の社会主義というユートピアなのです。[*7]

カップルのように「双数的」でも、グループのように「複数的」でもない、日常的な生活様式にかかわる幻想――バルトはそれを「養生法《ディエート》をめぐる幻想」とよんでいる。録音によると、バルトはギリシア語の「ディアイータ」という単語にさしかかったところでこれを板書し、フランス語にはこれに厳密に対応する言葉がないのです、とコメントしている。ちなみに、ここで暫定的に用いられている養生法《ディエート》とは、英語で言うところの「ダイエット」、すなわち食生活のことである。

さきほども話題にしたように、バルトの講義は、ともすると秩序を欠いた無軌道なものにも見えかねない。しかし、それは明らかに意図された放縦である。バルトの問いは終始一貫している。それは、「極端な孤独感」と「極端な一体感」のどちらにも振り切れることなく、その両極のあいだにどうやって理想的な生を見いだすことができるのか、という問いである。なおかつそれが脱中心的なかたちをとるべきことにも、バルトは同じく注意をうながしている。いっけん直線的な指針を欠いているかに見える講義の軌跡は、あくまでそれを実践したものにすぎないということだ。

「いかにして共に生きるか」――何らかの理由でこの問いに逢着した人々は、しばしばバルトの講義録から「イディオリトミー」という概念のみを取り出し、それを融通無碍に用いることで思索を止めてしまう。しかし、真の問題はむしろその先にあるはずだ。一でもなければ多でもない、その中間的な領域に目を凝らすこと。われわれの生がつねに共生の一形態である以上、いかにして共に生きるかという問いへの答えは、つまるところ具体的な実践のなかにしかない。ディアイータ、すなわち日常的な生活様式をめぐる思索を、けっしてやめないこと。われわれがバルトの講義録から引き出すべきは、まさにこうした「日常的なもの」をめぐる詩学であるはずだ。

食べ物の記号学

一九七七年五月四日に行なわれた最終回の講義で、バルトはここまで見てきたような方法を、いささか唐突に「絵画」になぞらえている。

この連続講義の「方法」とは何であったか、という総括作業のなかで、バルトはおもむろにこんなことを言っている。いわく、かれが「特徴《トレ》」とよぶ毎回のさまざまなトピックは、さしずめ絵具のようなものであった。かれはそれを机の上ではなく、教室の中で並べてきた。ただし、現実の絵画と異なるのは、聴衆はそこに完成された「作品」を期待してはならないということだ。つまるところ、「この教室がカンヴァスだったのです（La toile, c'est ici）」――講義はこのあとも三〇分ほど続いたはずだが、最終回のみ、録音はなぜかここで途切れている。だから、教室でかれが実のところどのように言葉を継いだのかはわからない。だが、講義ノートには次のように書かれていた。「ここに完成したタブローはない。それは、できればみなさんが完成させてほしい」。

わたしがここで行なっていることも、さしあたりそのようなことである。バルトが残したいくつかの「特徴《トレ》」のうち、ここでは問題を「空間」と「食事」に定めることにしよう。

ラカリエールの書物を通じて学んだアトスに関心を寄せるだけあって、「空間」についてはバルトもさまざまなことを書いている。そもそも、「いかにして共に生きるか」をめぐるこの連続講義を始めるにあたり、バルトが用意した文学作品のほとんどは特殊な「空間」と結びつけられていた。そのうちのいくつかを挙げるなら、「個室」（アンドレ・ジッド『ポワティエの監禁された女』）、「巣穴」（ダニエル・デフォー『ロビンソン・クルーソー』）、「砂漠」（パラディオス『ラウソス修道者列伝』）、「ホテル」（トーマス・マン『魔の山』）などがそれである。共に生きるということ――それは大きく「時間」と「空間」

を共にすることに分かたれるはずだが、本講義においてバルトがより注意を傾けたのは、後者の「空間」に対してであった。さしあたりそのことに疑いの余地はない。

　では「食事」についてはどうだろうか。

　その「日常」への関心からすれば当然というべきだが、バルトは共生をめぐる一連のファンタスムのなかで、「食べる」という行為にもぬかりなくふれている。アトス山の「イディオリトミックな」修道院においてそうであったように、人が理想的な生のリズムを維持するには、おのれの好きなタイミングで食事をとることが不可欠である。これは、一般的に考えてみても、さほど意表をつく考えであるとは思われない。たとえばすでに見たことだが、バルトが依拠したラカリエールによる「イディオリトミー」の説明が、「典礼」でも「作業」でもなく「食事」から始まっていることは、おそらくたんなる偶然ではない。

> この〈聖なる山〉は、ある特殊な生活様式を生み出した。それが、ここでイディオリトミーとよぶものである。アトス山の修道院は、実のところ二つの異なるタイプに分かれる。共住的、あるいは共同体的といわれる修道院では、食事であれ、典礼であれ、作業であれ、いっさいは共同で行なわれる。いっぽう、ここでイディオリトミックとよぶ修道院では、各々が文字通り個人のリズムで生活する。修道士たちはそれぞれが個室をもち、（毎年恒例の祝典を除けば）自室で食事をし、修道院にやってきたときに持っていた所持品をそのまま持つことが許されるのである。[*8]

そのことを確認したうえで、ふたたびわれわれの講義に戻ろう。この全一四回にわたる連続講義のなかで、「食べ物」はわずかにひとつのトピックを占めるにすぎない。しかしながら、それは本講義のなかでも、とりわけ聴衆がもっとも大きな盛り上がりを見せたトピックのひとつであった。

バルトが食べ物について、より具体的には食べ物の象徴的な意味について語ったのは、講義も終盤にさしかかった第一一講においてであった。なかでも、その場にいた聴衆が——録音からはっきりわかるほどに——もっとも色めき立ったのは、食材やメニューをめぐる「食べ物の記号学」に対してであった。バルトの読者にはおなじみのブリア＝サヴァランの文献とともに、食べ物をめぐる社会的な含意がユーモアたっぷりに語られるのが、まさしくこのくだりなのである。バルトみずから言うように、ここで食べ物は一貫して「読まれる」対象であり、聴衆もまさにそうした——いかにもこの記号学者にふさわしい——講義を期待していたことがうかがえる（ちなみに、コレージュ・ド・フランスにおけるバルトの担当部門は「文学の記号学」であった）。

メニューは、ひとたびそれが眺められ、語られると、たんなる機能を越えた意味を帯びるものです。「ハム＋サラダ＋ジャガイモ」というメニューと、「フォワグラ、ウズラのトリュフ詰め、キジ、アスパラガス、云々」というメニューは同じではありません。またそれは、たんに事実から指標へ、指標から事実へという変容のメカニズム——つまり、高価なものが珍しさの指標となり、その指標が贅沢さ（あるいは祝祭）の記号になるといったようなメカニズム――にとどまるものではありません。記号が現われるやいなや、その記号は中間的イメージからなる複雑なシステムのなかに取り込まれ、次いでそのシステムがひとり歩きを始めるのです。たとえばポトフは田舎臭さ、大衆受けを意味するものでしたが（それは、かつてパリの御者が集まる食堂で出されていた、牛肉に粗塩をふった料理でした）、それはスノビズムによって、贅沢さのしるしにも転じうるでしょう。[*9]

この講義の終盤、バルトは「共に食べる」という営みについても、わずかながら言葉を費やしている。そこでは、孤独な食事に対する一般的な嫌悪感、だれかと食事を共にすることの儀礼的な意味、さらには、出会いの場としての会食がもつエロティックな含意など、通俗的すぎるようにも見えかねない内容が足早に語られている。だが、ことのついでに語られたかのような「共に食べる」という行為に対して、実のところバルトは「食べ物」そのものよりも大きな関心を抱いていたのではないだろうか。というのもこの話題は、第一講のみならず、講義のいたるところでたびたび引き合いに出されるからである。

たとえば第一講で、すでにバルトはこんなことを言っていた。「共生」という言葉には、場合によって、もちろん否定的なイメージがつきまとうこともある。その最たるものが家族だろう。たとえば、ほぼすべての子供は家族を自分で選ぶことができない。もしも、自分が――すくなくとも自立するまでのそれなりの期間――生活を共にせざるをえない家族が、どうあっても望ましからざるものであるとしよう。その場合、まさにこの家族こそが、共生をめぐるもっとも否定的なイメージを担うことになるだろう。ゆえにこそ、共生をめぐる「否定的なイメージ」という主題は、講義ではもっぱら「家族小説」を分析対象として論じられることになるのである。

だがこれに加えて、というよりそれに先立って、バルトはいくぶん奇異にも響く、次のような発言を残している。すなわち、共生をめぐるもっとも耐えがたいイメージとは、「レストランで隣の席に座っている感じの悪い連中とともに、永遠に閉じ込められること」であると。

> さきほども言ったように、幻想《ファンタスム》はその合理的、論理的な反対物を持ちえません。しかしながら、幻想そのもののなかには、対抗 - イメージ、あるいは否定的な幻想とでもいったものがありえます。［……］個人的な例を挙げましょう。〈共生〉の耐えがたいイメージ、わたしにとってそれは、レストランで隣の席に座っている感じの悪い連中とともに、永遠に閉じ込められることなのです。[*10]

録音では、ここで聴衆からぽつぽつと笑いが起こっている。開始前の機器のトラブルにともなって起こった失笑をのぞけば、はじめて聴衆に「うけた」のが、講義開始から二〇分ほど経ったこの「レストラン」云々のくだりなのである。

不可視のコンパニオン

とはいえ、考えてみると、これはどこかおかしな挿話ではないだろうか。レストランで隣の席に座っている感じの悪い連中とともに、永遠に閉じ込められること——そんなことは、ふつうに考えれば、まずありえそうにないことである。「まずありえそうにない」と言ったが、バルトとしては、そのことで非難がましいことを言われる筋合いはまったくない。なにせ、それは幻想《ファンタスム》なのだから。そう、これは幻想である。「レストランで隣の席に座っている感じの悪い連中とともに、永遠に閉じ込められる」という——否定的な——幻想。しかし、わたしとしては、この突拍子もない「幻想」にしばし付き合ってみたいのである。

　われわれの大多数にとって、日々「何を」食べるかということは、きっと大きな関心事だろう。だがそれに劣らず、いや、場合によってはそれ以上に、「いつ」「だれと」食べるかということも、同じく切実な問題ではないだろうか。すくなくともわたしにとっては、不本意な食事にありつくことよりも、その食事の時間や状況が外的な理由に支配されることのほうが、はるかに耐えがたいことである。人は自分が「何を」食べたいかについてはさまざまなことを語るものだが、「いつ」「だれと」食べたいかについては、あまり多くのことを語らない。とはいえ、それも致し方のないことである。ほとんどの場合、われわれはそれを決定する自由をもたない。一人で食べる、友人と食べる、恋人と食べる、家族と食べる――かりに最大限に選択の余地が与えられたとしても、われわれに選べるのはだいたいそれくらいのものである（とはいえ、もちろんそれすら意のままにならないことのほうが多いのだが）。

われわれの生の根本的なリズムは、食事のリズムを我がものとすることと不可分である。とりわけ、だれかと食事を共にすることの象徴的な意味については、たとえそのように教わったことがなくとも、およそ万人の知るところであろう。たとえば、複数の人間が限られた食物を分かち合うことは、そこに集ったものたちが同朋であることの何よりの証しである。ひるがえって、同様の場面で敵どうしが食事を共にすることは、基本的にない（むしろそのような場面において、食物は略奪の対象である）。そのような意味において、食卓とは友敵関係が目に見えるかたちで露わになる、ひとつのクリティカルな舞台であると言ってよい。

バルトはそのことに同意するだろうか。それはわからない。しかし先の言葉は、おそらく暗黙のうちにそれに同意してしまっているだろう。ここで問題としたいのは、日本語ではしばしば隠れてしまうひとつの人称代名詞、すなわち「われわれ」である。さきほどの発言の核心をなす部分を、原文を添えてもういちど引用する。

〈共生〉の耐えがたいイメージ、わたしにとってそれは、レストランで隣の席に座っている感じの悪い連中とともに、永遠に閉じ込められることなのです［être enfermé pour l'éternité avec des gens déplaisants qui sont à côté de nous au restaurant］。

逐語的に言えばこういうことである。レストランでたまたま居合わせたこの「感じの悪い連中（des gens déplaisants）」は、空間的に「われわれ（nous）」と隣りあっている。そのような者たちとともに「永遠に閉じ込められる」こと。それこそが、共生のもっとも「耐えがたい」——こちらも逐語的には「地獄のような（infernal）」——イメージである、とバルトはいう。

この「感じの悪い連中」は、「われわれ」の友人でもなければ家族でもない。ただ偶然レストランに居合わせただけの、無関係な他人である。彼らがそこにいることには耐えられる。しかし連中とともに「永遠に閉じ込められる」となれば、それは「共生のもっとも耐えがたいイメージ」へと転じる——とバルトは言う。

言うまでもないことだが、ここで「われわれ」と「感じの悪い連中」とのあいだには、空間的なそれよりもはるかに大きな隔たりがある。両者のテーブルは隣りあっているにもかかわらず、「連中」は「われわれ」と同じ食卓を囲むことはない。いや、すくなくともバルトはそれを望んでいない。かりに同じ状況にあったとして、きっとわたしもそれを望まないだろう。

とはいえ、この事態は「われわれ」と「それ以外のもの」を分かつ友／敵の二分法よりも、はるかに繊細なものである。「われわれ」と「連中」は、たしかに同じ空間を分かちあっている。レストランという半公共的な空間にいる以上、そのことはさすがにみとめざるをえまい。そうした一時の邂逅であれば何ら問題はないのだが、もしも彼らと同じ空間に「永遠に閉じ込められる」となれば、もはや事情は同じではなくなる。

すれ違いの場としての公共空間。それは飲食を提供する店内であったり、はたまた都市の路上であったりする。そうやってわれわれは、見知らぬ他人としばし時間と空間を共にする。それは、街を行き交う人々が日頃あたりまえに行なっていることである。

同じことが、食事の場面にも当てはまるのではないだろうか。つまり厳密には、食事を共にする「われわれ」と、その環から外れた「それ以外のもの」がいるのではない。むろん、この二つの集団は、通常さまざまな仕方でフィルタリングされている。だが、たとえ同じ皿を囲んでいなくとも、見知らぬ他者がある会食の場に「居合わせてしまう」ような状況はいくらでもあるだろう。

じっさい、友と敵を、あるいは身内と他人を分かつ場としての食卓という発想は、現実に照らし合わせてみれば粗雑きわまりないものである。友／敵の二分法を中心的なモティーフとするカール・シュミットの理論にしてもそうだが、友と敵を分かつことが政治の核心にあるなどということを、われわれはどこまで真面目に強弁しうるだろうか。われわれを取り囲む他者の多くは、友でも敵でもない、あるいはそのいずれでもありうるような曖昧な他者ではないだろうか。そして、われわれのテーブルもまた、友でも敵でもない、曖昧な他者たちに取り囲まれている。これらのものは時と場合によって、それと気づかれぬまま、その場に同席していることすらあるのだ。

認識可能な他者としての友や敵の傍らに場を占める、不可視の道づれ《コンパニオン》。以後、われわれはそれを端的に「食客」とよぼう。ときには文字通りの「寄食者」を、ときには人ならざる「寄生虫」を包含するもっとも一般的な名称として選ばれたそれ——英語でいうところの「パラサイト」——が、ここから先の主役である。

第二章

孤食

生きること。それは、おのれ以外のなにものかと「共に」生きることと、実のところまったくの同義である。生と共生は同じ事態の異なる現われにすぎず、いわゆる「共生」という理念そのものに何か特殊な内実があるわけではない。ゆえに、そこにおいて真に問題とされるべきは、あくまでもいかにして共に生きるかということである。それが、前章において投げかけた問いであった。

ロラン・バルトのコレージュ・ド・フランス講義（「いかにして共に生きるか」）は、その問いに接近するためのひとつの経路である。そこでのバルトの語りは、共生をめぐる通俗道徳のようなものではいささかもない。むしろそこで示唆されていたのは、そもそも「理想的な」（共）生というものが、それぞれの個人的な幻想《ファンタスム》のなかにしかない、という端的な事実であった。なるほど、そうした理想的な生、ないし共生が、客観的に実現されているように見えるケースもあるにはあるだろう。前章でその詳細をみたアトスの「イディオリトミックな」修道院などは、その最たるものであった。とはいえそれが、部外者の——とりわけ女性の——立ち入りを厳しく禁じる閉鎖的な共同性のうえに成り立つものであることも、一方でまた明らかである。さしあたりその是非は措くとしても、見かけ上「理想的」とされる共同性が、時に他者の容赦なき排除をともなうという事実は、しばしば経験が教えるところである。

もちろん、バルトもそのことをよくわかっていた。ゆえに、かれは共生の理想を個人的な「幻想」の領域に局限し、現実に生じるであろう日々のさまざまな軋轢には、ほとんどふれることがなかったのである。ひるがえって注目したいのは、バルトが共生をめぐる幻想を、いわゆる「肯定的な」ものに限定することなく、その「否定的な」様相にも抜かりなくふれていたことだ。その顕著な事例として引き合いに出されていたものこそ、望ましからざる「家族」との共生であり、さらにはレストランで居合わせてしまった「感じの悪い連中」との共生なのであった。

共生をめぐる認識

ここであらためて問いかけてみたい。何ものかと共生するとは、厳密にいっていかなることなのか。わたしたちの脳裏に共生という言葉が浮上してくるのは、いったいいかなる事態においてなのか。

そもそも共生をめぐる「幻想」を支えているのは、あらかじめこの「わたし」というものがあり、それが何らかの輪郭によって外界から隔てられているという認識論的な事実にほかならない。それによってはじめて、「わたし」が何ものかと共生する、あるいは共生しうるという意識が各々のなかに生じる。それゆえ、この「わたし」についての意識を欠いた個体にとって、共生をめぐる問いはいかなる意味ももたない。なぜならそうした存在者にとって、外界すなわち他者との明確な境界は存在せず、そのために、他者と共にあることの切迫性が感じとられることもないはずだからである。

あるいは、これを反転させてみることもできる。われわれが他者とともに生きるうえであれこれ思い悩むのは、ほかでもないその他者が他者として認識されているからだ。べつのしかたで言えば、共生をめぐる悲喜こもごもは、「わたし」ならざる他者のあるところにのみ生じる。

ごく当たり前のことを言っているにすぎない——そのように思われるだろうか。しかしわたしの感覚では、これはなかなか微妙な問題である。クリシェとしての「他者との共生」にしても、あるいは「自然との共生」にしてもそうだが、これらの言い回しは、そのカウンターパートが正当なしかたで遇される他者であるということを、なかば暗黙の前提としている（ここに人間・非人間の区分をみとめないということは、前章でものべたとおりである）。たとえば純然たる事実として、「わたし」は無数のウィルスや微生物と共生しているはずだが、われわれは通常それらのものと「共生している」という意識をもたないままに、みずからの生を営んでいる。昨今、「コロナとの共生（with コロナ）」などという言葉が聞かれたりもするが、こうした例外は、平時ならば取るに足らない存在だと思われているウィルスや微生物が、こちらの生命を脅かす可能性があるという認識のうえに成り立っている。そうでなければ、人はおのれが日常的に、かつ無意識のうちに接している無数のウィルスに対して、「共に（with）」などという親しげな言葉をむけることはけっしてないだろう。

したがって次のように言える。たしかに、共生というのはわたしたち一人ひとりにとって所与の事実である。つまり、ほかの何ものとも共生関係にないような生き物など、厳密には存在しえない。だが、ほかならぬその事実が意識されるかどうかは、自己と他者にむけられた認識の濃淡に大いに左右されるということだ。

ブリア＝サヴァラン

さて、こうした「共生」をめぐるいくつかの特徴《トレ》を並べるにあたり、バルトがそこに「食べ物」をめぐる話題を含めていたことは、前章ですでに見たとおりである。なおかつ録音を聞くかぎり、これは聴衆にとってもお待ちかねの話題だったようだが、実はその背後にはある伏線が存在した。それは、当該のコレージュ・ド・フランス講義が行なわれた約二年前にさかのぼる。

一九七五年、フランスでも、そして日本でもよく知られた、ある一冊の古典が新たな装いとともに登場した。著者はジャン・アンテルム・ブリア＝サヴァラン。フランス革命の前後に生きた法律家であるこの人物こそ、日本では『美味礼讃』というタイトルで知られる『味覚の生理学』(一八二六)の著者にほかならない。

ブリア＝サヴァランの『味覚の生理学』は奇妙な書物である。「きみが何を食べているのか言ってごらん、きみが何者であるのか当ててみせよう」――この有名な箴言《アフォリズム》をはじめ、およそ食にまつわる理論書のなかで、これほど頻繁に引き合いに出される書物もめずらしい。だが、その知名度のわりに、本書を始めから終わりまで通読した読者の割合は、おそらくそう高くないはずである。それは、「美食」といういっけん近づきやすいテーマを掲げた『味覚の生理学』が、実のところあまりに要領を得ないものであるからだろう。本書では「感覚」についての章から、「夢」や「死」についての章にいたるまで、言ってみればあまりに多くの話題が詰め込まれているため、ほとんどの読者は途中で本書を投げ出すか、せいぜい拾い読みにとどめてしまうのだ。

そうした事情をふまえてのことだろう。一九七五年に本書の新版を刊行したエルマン社は、いまや時代の寵児となったロラン・バルトに同書の序文を依頼し、さらにこの批評家の名前を大々的に掲げたのである。形状としてはB5に近い、いくぶん珍しい判型のピンク色のカバーに、果物を齧る類人猿のイラストが添えられている。その人目を引く外観には、「ブリア＝サヴァラン」および「味覚の生理学」と同じ、あるいはそれ以上に目立つしかたで刻印された「ロラン・バルト」の名前が見える。

本書もまた多くの旧版に漏れず、『味覚の生理学』の全文をそのまま再録したものではない。同書は、この古典をはじめて「本来の順序で」編纂したものであると謳ってはいるが、全体としてはかなりの省略がほどこされ、もともと二巻で八〇〇頁をこえる原著は、編者ミシェル・ギベールによって一五〇頁あまりに縮減されてしまっている。そして同書の劈頭を飾るのが、バルトによる二五頁ほどの洒脱な解説「ブリア＝サヴァランを読む」なのである。[*1]

前章の、「食べ物の記号学」をめぐる話題に絡めてわずかにふれたように、バルトが講義のなかでしばしばブリア＝サヴァランを参照しているという事実には、実のところこうした背景があった。そして、この話題に色めき立った聴衆もまた、やはりこのことを知っていたはずである。

レストランの誕生

ブリア＝サヴァランは、一七五五年四月一日、スイス国境付近の小都市ベレーに生まれた。地元のやや北にあるディジョンの大学で法学を修めたのち、故郷に戻り弁護士となる。フランス革命のおりには三部会の代議士としてパリに派遣。帰郷後、王政が廃止されるや、ジャコバン派から王党派とみなされ、にわかに立場を危うくする。そのため、一七九三年にはスイスを経由してアメリカに亡命。しかしその三年後には総裁政府の成立を機にフランスに戻り、その後はパリの破毀院の判事として終生奉職した。『味覚の生理学』はこの法律家の最晩年の著書であり、ブリア＝サヴァランがこの世を去る二ヵ月前に匿名で出版された。[*2] 遺族は同書の版権をすぐさま版元に売りわたしたそうだが、その後も同書は世界中で読み継がれている。

同書がその後、約二世紀にわたり読者を獲得するにいたった理由としては、これが「美食」をめぐる世にも先駆的な書物であるということが挙げられる。美味なる食事をめぐる書物は今日でこそ巷にあふれているが、フランス革命の余韻を残す一八二〇年代に著された本書の歴史的意義は、いまもっていささかも揺らぐことがない。

伝記的事実によると、ブリア＝サヴァランの判事としての勤務は週に三日ほどだったらしい。パリで司法を生業《なりわい》とする著者が、十分な余暇と豊富な社交経験をもとに著した幸福な遺著——事実としてはけっして間違いでないこのような文言によって本書を紹介することは、しかし個人的には大きなためらいをおぼえる。というのも、本書にはブリア＝サヴァランという人物の異様なまでのパトスが満ち溢れており、往時の優雅な食文化をめぐって書き記された「美食」本というには、どうにも不釣り合いだからである。

その内容にはのちほどふれることにするが、このいささか変わった百科全書的な書物について、何か概略めいたことを言うつもりはない。ここではまず、バルトが「〈共生〉をめぐる耐えがたいイメージ」として挙げたレストランでの邂逅が成立した歴史的経緯を、同書にそくして詳らかにしておこう。

『味覚の生理学』には「レストラン」について書かれた章がある。[*3] それによれば、レストランとは「いつでも出せるように用意したごちそうを、一般大衆に提供する」商売のことであり、それらは「客の求めに応じて、一人前ずつ定価で分売される」。今日からすればあまりに当然とみえることのような定義は、一八二五年のパリにおいて、これが新しい商形態であったことの何よりの証しである。では、このレストランという業態はいったいどのような次第で登場したのか。ブリア＝サヴァランの説明はおおよそ次のようなものである。

時は一七七〇年前後、太陽王ルイ一四世の治世が終わり、革命を間近に控えていたこの時代、パリに来る外国人が食事にありつく方法はごく限られていた。知られるように、このころ旅行者の食事はホテルで提供されるのが常であったが、それらは総じてひどいものだった（と著者はいう）。仕出し屋に何か頼むにしても、一人分や二人分の注文はできないし、大人数になると時間の融通もきかない。よって、パリでまともな食事にありつくには、同地の親切な友人の招待を受けるよりほかなかった。こうした状況をくつがえすべく、「美味しいものを速やかに、かつ清潔に」提供することを考えた最初の人物が、パリではじめての料理店主《レストラトゥール》となった――これが、著者による「レストラン」のおおよその解説である。

この美食をこよなく愛する法律家が、レストランの出現を好意的にとらえていたことは明らかである。なにせ、このレストランというシステムは、これに先立つ「料理の哲学史」（第二七省察）の「最後の完成」、あるいはその「最終段階」とみなされているからだ。その恩恵にあずかったのは、なにも旅行者ばかりではない。いわく、レストランの出現によって誰もが、自分の仕事や遊びの事情に応じて、好きな時間に食事がとれるようになった。また、自分の腹具合や懐具合と相談して、重い食事から軽い食事まで、食事の種類もおおむね自由に選べるようになった。もちろん旅行者のように、現地に家をもたない人々にとっては、友人に招かれずともまともな食事にありつける、このうえなくありがたい商売であることは言うまでもない。いまではごく当たり前の光景になってしまったが、好きな時間に、それなりに自分の好みに応じた食事がとれるというのは、それまでお抱えの料理人をもつ一部の人々にのみ許された、ごく例外的な特権にほかならなかったのである。

では、レストランの出現は、万事において言祝《ことほ》がれるべきことなのだろうか。そうではない。ブリア＝サヴァランは、レストランの出現がもたらした弊害についても、いくばくかのことを書き残している。まず容易に想像されることとして、レストランでの食事に味をしめ、そこに足しげく通うようになった人々のなかには、おのれの財布に分不相応な出費をしてしまう者がいた。さらには豊富な料理を前にして、おのれの胃袋の限界を知らず食べすぎてしまう者もいた。しかし、それよりもさらに深刻なことがある、とこの美食家は言う。

しかし、これらのことよりもはるかに社会秩序にとって有害なのは、ひとりでの食事が利己主義を助長することである。というのもそのために、周囲のことなどお構いなしに、自分のことだけ考える、配慮を欠いた人間がしばしば散見されるのである。われわれの日々のつきあいのなかでも、食事の前、その最中、あるいはその後の態度をみれば、会食者のなかで日頃からレストランに出入りしている人間は、すぐにそれとわかるものである。[*4]

なかなか辛辣な一節である。読んで明らかであるように、ここで槍玉に挙げられているのは、レストランで「ひとりで」食事をする習慣を身につけた人物にほかならない。それによれば、ひとりで食事をする習慣は利己主義《エゴイスム》を助長し、自分のことしか考えず、周囲に配慮を欠いた人間を生み出すおそれがある。「会食者のなかで」云々のくだりは、おそらくこの法律家の実体験にもとづくものだろう。というのも、この人物はここにわざわざ註をつけ、人数分に切りわけた肉を隣に回す配慮を欠いた人物を、嫌味たっぷりに批判しているからである。

いずれにせよ注意したいのは、『味覚の生理学』において、ひとりで食べること——いわゆる個食／孤食——が、露骨な批判の対象となっていることだ。表むきは「生理学」を謳っているものの、同書において食事はあくまで社会的行為に属するものであり、ゆえにひとりで食事をとることは「利己主義を助長」するものとして非難されるのである。*5

ガストロノミーの意味

ここで『味覚の生理学』のねらいを確認しておきたい。そもそもブリア＝サヴァランにとって、「ガストロノミー」はたんに「美食」をめぐるあれこれの知識にはとどまらなかった。ガストロノミーとは何か。それは、ものを食べる存在としての人間にかかわる、「あらゆる事柄についての体系的知識」(第三省察)のことである。ゆえに、つきつめればそれは「人間」の営みすべてにかかわるものであり、それゆえにこそ本書では、「眠りについて」や「死について」といった、いっけん美食とは無関係に見える事柄までもが論じられるのである。

ブリア＝サヴァランは『味覚の生理学』のなかで、さまざまな新語《ネオロジスム》を用いたことで知られる。だが肝腎の「ガストロノミー」は、実のところかれが考案したものではない。ジョゼフ・ベルシューの長篇詩『ガストロノミー』(一八〇一)を初出とするこの言葉は、その由来をただしくふまえるなら、ギリシア語の胃袋《ガステール》をめぐる学知のことである。ゆえに、しばしば用いられる「美食術」という訳語はいくぶん限定的、ないし転義的なものであり、本来的には「消化術」くらいの意味であると考えたほうがよい。「ものを食べる存在である人間」にかかわるあらゆる知識を体系化せんとしたブリア＝サヴァランの試みは、言うなれば消化する人間《ホモ・ガストロノミクス》の実相を、あらゆる方法によって明らかにしようとするものであった。その姿勢は、たとえばこんな一節にもあらわれている。

> 古いことわざに、「人は食事をするから生きるのではない、消化するから生きるのである」というものがある。つまり、生きるためには消化しなければならない、ということだ。この必然には、貧しきものも富めるものも、羊飼いも王も、みなひとしく従わねばならない。[*6]

じじつ、われわれはみな消化する生き物である。とはいえそれは、なにも人間にのみ言えることではない。人間以外の動物もまた消化することにより生きるのであり、なんなら植物にも、これとほとんど同じことが当てはまるはずである。つまりこのような考えは、何らかの意味で新陳代謝を行なう生物すべてに当てはまるはずであり、ゆえに食事を社会的行為ととらえる先のような認識とは、どう考えてもうまく整合しない。

それゆえに、というべきだろう。『味覚の生理学』を読むと、そこできわめてあけすけな人間中心主義が吐露されていることに気づくはずである。とりわけ第二省察「味覚について」を読んでいて目につくのは、「生物の最下層に属する」植物、「そのやや上にいる」動物、そして「もっとも完全な」

存在である人間という順番で語られる、有機体の位階である。
同じく、本書のはじめに登場する箴言には次のようなものもある。「動物は喰らい、人間は食べる。知性ある人間だけが、その食べかたを知る」――つまり、動物がおのれの軀を養うために「喰らう（se repaître）」のに対して、知性ある人間のみが「食べる（manger）」ということを知る。これも『味覚の生理学』のなかではよく知られた箴言であるし、これ自体とりたてて機知に富んだ考えというわけでもない。それはともかくとしても、ここでいう「喰らう」ことと「食べる」ことは、じっさいどんなところに違いをもつのだろうか。

食卓の快楽

これについては、さしあたり第一四省察「食卓の快楽について」を見るのがよい。この章は「食事」ではなく「食卓」の快楽をめぐる記述にまるごと捧げられている。そこには、たとえばこんな一節がある。

食べることの快楽とは、ある欲望を満足させることに由来する現実的、直接的な感覚である。食卓の快楽とは反省から生まれる感覚であって、食事にともなうさまざまな事実、すなわち場や、物や、人から生まれるものである。食べることの快楽はわれわれにとっても、動物にとっても同じである。それには空腹と、それを満たすために必要なものがありさえすればよい。食卓の快楽は人類だけのものである。それは食事の用意、場処の選択、同朋の招集など、事前にさまざまな心づかいを必要とする。[*7]

ここで言われているのは単純なことである。ようするに、ただ口と胃を満たすだけの「食べることの快楽」とは異なり、「食卓の快楽」は、誰かと共に楽しく食べることのうちにある。「食べることの快楽」はすべての動物に共通のものであるが、「食卓の快楽」は人類だけのものである。ブリア＝サヴァランはそのように言う。

この二つの快楽にはさまざまな相違があるが、そのもっとも大きなものが両者の「持続」の相違であることは注目されてよい。いましがた見たように、食べることの快楽は、目の前の欲望を満たすことによって得られる現実的、直接的な快楽であり、したがってそれは瞬間的な快楽である。これに対し、食卓の快楽には恍惚もなければ興奮もない。ただし、それは長く持続する。そしてこの快楽は、われわれからそれ以外の快楽を奪うことなく、究極的にはわれわれの肉体と霊魂とに「特殊な幸福」をもたらすのである。

こうした幸福にあずかるために、ブリア＝サヴァランが提供する処方箋はあくまで具体的なものだ。ひとつ、会食者の数は一二人を超えてはならない。ひとつ、会食者の顔ぶれには十分な注意を払い、お互いによく知った仲間を集めなければならない。ひとつ、食堂の照明は十分に明るくし、食器はきわめて清潔でなければならない――等々。これらがどこまで普遍的に通用するものであるかはともかく、かれが「食卓の快楽」とよぶものの大半が「社交」のわざに属するものであることは、ひとまず疑いようがない。

だとすると、論理的には次のようになりはしまいか。たとえ人間であっても、この「食卓の快楽」を知らぬものは、ただ「食べることの快楽」のみを追い求める動物にほかならない。平素よりレストランに出入りし、ひとりで食事をすることに慣れきってしまった人間は、つねに「人類」から「動物」へと滑り落ちる危険にさらされている――それが、この美食家が喧伝する思想の論理的な帰趨である。

そもそも『味覚の生理学』において、生物の位階は、時に不必要と思えるほど厳格に定められている。みなひとしく「消化する」生物でありながら、ブリア＝サヴァランは人間・動物・植物のあいだの超えがたい差異を、ことあるごとに強調するのである。それは、「生きとし生けるものはみな栄養をとる」という第一の箴言から、「動物は喰らい、人間は食べる」という第二の箴言への跳躍において、すでに早々と告知されていたと言えるだろう。

それでは、ひるがえって「食卓の快楽」を知る人間は、みな平等な立場にあるのだろうか。おそらくそうではない。つづく第三の箴言が、「国民の盛衰はその食べかたの如何による」と言っているように、ひとしく「食卓の快楽」を知る人間のなかにも、その「食べかた」をめぐって、さまざまな位階が設けられているのだ。

それを典型的なしかたで示した一節に目をむけてみたい。先に見た「レストラン」をめぐる章において、ブリア＝サヴァランはある架空のレストランの光景を次のように書きとめている。いわく、食堂の中央にはつねに常連たちがいる。かれらはみな馴染みの客で、いくぶん割安で食事にあずかることができる。言わばこれらの人々は食堂の「大黒柱」であり、その周囲にはさらに多くの客が群れをなしている。

かたや、その周囲では夫婦や恋人たちがそれぞれ会食を楽しんでいる。たがいに目を輝かせている初々しいカップルもいれば、これから劇場に寄って帰ろうかという仲睦まじい夫婦もいる。また、食堂の奥にはひとり客が大勢立て込んでいて、いらいらしながら料理を待ちわびる客、その傍らでがつがつ食べる客、はたまたこれよりお会計といった風情の客もいる。おおよそこんな具合で、「常連客」からなる中央の食卓を中心に、そのまわりを二人客、一人客が取り囲む、さながら放射状に広がった疑似家族のような雰囲気が、ここにはみとめられる。しかしそれに紛れて、なかにはいくぶん奇妙な客もいる。それはこういう手合いだ。

またそこでは、だれもがその容貌を知っているが、だれひとりとしてその名前を知らない人たちにも出会う。かれらは自分の家にでもいるかのようにくつろいで、隣席の客の会話にしつこく首を突っ込もうとする。それは、財産も資本も生業もないのにやたらと散財をしたがる、パリでしかお目にかかることのできないような連中である。[*8]

バルトに「〈共生〉をめぐる耐えがたいイメージ」を植えつけた「感じの悪い連中」とは、ひょっとしたらこのような手合いであったかもしれない。これまたきわめて辛辣な一節であるが、ここからブリア゠サヴァランがどのような人間を遠ざけようとしていたのかがよくわかる。まるで「自分の家にでもいるかのようにくつろいで」、他人をつかまえては「会話にしつこく首を突っ込もうとする」手合いを、この人物が疎ましく思っていたことは明らかだ。

そして外国人。とりわけそこで戯画的に登場させられているのはイギリス人であり、かれらは「肉をふつうの二倍食べ、できるだけ高いものを注文し、いちばん強い酒を飲む。そして最後は酔いつぶれ、だれかに抱きかかえられながら店を出る」。

これらは読者の笑いを誘っているものには違いないだろうが、それでもこの著者の視線が、どこか排外的なものであることは否めない。「食べることの快楽」しか知らない動物と、「食卓の快楽」を知る人間を、まさしくその「快楽」への感受性によって切り分けたように、食卓でのふるまいをめぐるあれこれが、「人間」のなかにさらなる位階を導入する。

レストランに入りびたる「一人客」が先のように糾弾されるのも、まさしく同様の理由に拠っている。ひとりでの食事に慣れきってしまうと、いつしか周囲のことなど顧みない、他者への配慮を欠いた人間になってしまう。それゆえ、孤食は利己主義を助長するものとして否定的に語られるのだが、これまた通俗的な偏見にまみれた、いかにも狭隘な見かたではないか。

またしても同書の箴言が思い起こされる。「食卓こそは、すくなくともはじめの一時間は退屈せずに過ごすことのできる、唯一の場処である」。なるほど、ブリア＝サヴァランのいう「食卓の快楽」を知る人間ならば、そうなのだろう。あらためて繰り返すが、ここでいう「食卓」が一人のそれではなく、複数人からなる食事の場面を指していることは明らかだ。いずれにしても『味覚の生理学』のうちに、ひとり静かに食事を楽しむ人間の存在する余地はない。

はじめの一時間

他人と食事をすることが得意ではない。

『味覚の生理学』を読んでいると、ふだん腹の底に隠しもっているそんな思いが、にわかに喉元まで出かかってくる。そんなわたしは、「食卓の快楽」を知らない下等な人間なのだろうか。あるいはそうかもしれない。いずれにせよ、共に楽しく食べることこそが最善だと考える集団のなかにいると、わたしはいつも言い知れない疎外感をおぼえる。そして時と場合にもよるが、「自分の家にでもいるかのようにくつろいで」、他人をつかまえては「会話にしつこく首を突っ込もうとする」人物が、わたしは実のところそう嫌いではない。そういう連中は、当時においてこそ「パリでしか」お目にかかることができなかったのかもしれないが、今ならそうした胡乱《うろん》な者たちに出会う方法はいくらでもある。

ところで先の箴言――「食卓こそは、すくなくともはじめの一時間は退屈せずに過ごすことのできる、唯一の場処である」――に含まれる「はじめの一時間は (pendant la première heure)」という言い回しは、「はじめのうちは」という意味の慣用表現として読まれるのが一般的である。だが、先にも見たように、「食べることの快楽」と「食卓の快楽」を分かつのは、第一にその持続の相違にある。だからここでは、あくまでも著者が次のように言っていると考えておきたい。われわれは食卓についていれば、すくなくとも一時間は退屈せずにすむ。なぜそのような些事にこだわるのかというと、同書に解説を寄せたロラン・バルトが、この一節について、原文とはまったく反対の読みかたをしているからである。

前章でみた講義録『いかにして共に生きるか』のなかで、バルトは明らかにこの箴言をふまえながら、次のように書いている。いわく、ブリア＝サヴァランによれば、食卓の快楽は「はじめの一時間しか持続しない」。しかし、これはいささか問題含みである。というのも、食卓を囲んでいれば「はじめの一時間はけっして退屈しない (on ne s'ennuie jamais pendant la première heure)」というブリア＝サヴァランの原文と、その快楽が「はじめの一時間しか持続しない (elle ne dure que la première heure)」というバルトの敷衍は、事態としてはほとんど同一であったとしても、言葉としてはまったく反対の意味合いを帯びるからである。つまり、前者がこの文章に肯定的なニュアンスを付与しているのに対して、後者はそれを明らかに否定的なニュアンスへと転換しているのだ。

これがたんなる軽率な読み違えでないことは、次のことから容易に証明できる。というのも、バルトは『味覚の生理学』の序文にわざわざ「はじめの一時間」という見出しを立てて、先のくだりにおける「快楽」の内実を、出会いがしらの快楽、すなわち新奇な「驚き」がもたらす喜びに還元しているからである。これは明らかに原著の意図を逸脱した読みかたであり、なおかつ、先に見た講義録の一文とも見事に整合するものである。

以上のいくぶん些末な事実をもとに、こんな仮説を立ててみたい。実のところバルトは、『味覚の生理学』に対するおのれの不満を隠しとおすことができなかった。なぜなら、ブリア＝サヴァランの筆が浮かび上がらせるのは、あくまで人間をその中心におく疑似家族的な共同性であり、さらにその人間のなかにすらさまざまな位階を設けようとする、救いがたい傲慢さだからである。これが、バルト言うところの「イディオリトミー」の実践からはるかに遠いものであることは言うまでもない。

じっさい、ここでバルトが書いていることのなかには、ブリア＝サヴァランに対する直接的な批判とみえるものもある。おそらく読者のだれもが感じることだろうが、『味覚の生理学』は、端的に言って「大衆の食生活」を隠蔽したうえに成り立っている。

かれの独創性は、金銭上の階級（貧乏、余裕、裕福）を選り分けたことにあるのではなく、味覚（すなわち文化）そのものが社会化されているとわかっていたことにある。［……］この食べ物の社会学は、ごく控えめなものであるとはいえ、純粋な社会性をそこに露呈させている――しかも、その言説がふれていないところにおいて、である。その社会状況がはっきりと現われているのは、ブリア＝サヴァランが語らずにいること（すなわち隠蔽していること）においてである。そこで厳密に抑えつけられているものとは、大衆の食生活である。それは、おもにどんなものから成り立っていたのだろうか。それはパンであり、地方においては麦粥であった。[*9]

これ以外にも――はっきりとは書かれていないが――バルトが違和感をおぼえた記述が同書にいくらでもあったことは容易に想像できる。この裕福な法律家の抜きがたい異性愛主義などは、その最たるものであったはずだ。

いささか驚くべきことに、ガストロノミーを主題とする本書は、性愛と生殖をめぐる記述によって幕を開ける。

生殖感覚は、口や目と同じように、ある完全なる器官［＝性器］のうちにある。ここで興味深いのは次のことである。すなわち両性のいずれもが、それぞれこの感覚を得るために必要なものをもっている。にもかかわらず、自然が要求する目的を果たすためには、両性がかならずひとつにならねばならない。つまり、個体の保全を目的とする味覚がひとつの感覚であることを認めるのにやぶさかでないのなら、種族の保全を目的とするこの器官にも、なおさらひとつの感覚としての地位を認めてやるべきではないだろうか。[*10]

味覚の「生理学」を謳うだけあって、同書における「食べる」という行為は、生物の「自己保全」という目的論的な動機に結びつけられている。それを下支えしているのが、のっけから語られる「第六感」としての「生殖感覚」をめぐる議論なのであった。当時七〇歳であったこの著者は、従来の五感（視覚、聴覚、味覚、嗅覚、触覚）に加えて、その第五の感覚である触覚に還元されない「生殖感覚(génésique)」を、六つ目の感覚として数え上げるべきだと言うのである。

なるほど、広義の触覚には還元されない「第六感」としての生殖感覚の導入は、議論としてはそれなりに興味深いものである。だが、それがすぐさま「生殖」を前提とした「両性」の合一に限定されるのは、いささかの不満なしとはしない。いずれにしても、かれの言う「生殖感覚」のうちに、生殖なき愛――たとえば同性愛――が入り込む余地はない。こうした繊細さの欠如ひとつをとっても、ありきたりの知《サヴォワール》ではなく、可能なかぎりの味わい《サヴール》を求めたバルトの美学から、『味覚の生理学』がはるかに遠いものであることは明らかである。

かくして、個体の自己保全としての食事から、種族の自己保全としての生殖までをひと続きに論じようとするこの――ある意味で壮大な――企てを前にして、バルトならずとも、本書を無言で閉じる読者が続出したとしてもまったく不思議はない。

バルトの「序文」は、その基本的な姿勢において賛同しがたいこのテクストをいかに「料理する」か、という苦心の果てに書かれたものであるように思われる。その戦略をすべて数えあげることはできないが、ここではただひとつ、もっとも決定的なことにのみふれておきたい。

バルトは、このブリア＝サヴァランの言説を、一貫して倒錯的なものと読みかえる。見るところ大いに保守的なその価値観の背後には、この著者の隠された、倒錯的な表情が見え隠れするというのだ。むろん、そのような読みを示すには、かなりの力業が必要だ。そこでバルトは、わずか二五頁ほどの序文のなかで、ある思想家の名前を繰り返し召喚するにいたった。その人こそシャルル・フーリエ――一般には「空想社会主義者」として知られ、俗説ではこの美食家の義弟とも言われる人物である。

第三章

口唇

わたしたちの生の営みは、さまざまな共同作業のうえに成り立っている。一人であれ、二人であれ、大人数であれ、基本的にその事実は変わらない。それをどこまで意識しているかはともかく、われわれはそうした「共生の作法」を、日々それと知らず学習しつづけている。

しかしそのなかでも、食事を共にするという営みには、一種独特の重みがかけられていると言ってよい。それは、ほかのあらゆる共生の作法と較べることが不可能なほどに、きわだって重要なものとみなされている。

通常、だれかと共に生活することと、共に食事をとることは、ほとんど不可分な営為だと思われている。げんに、ほぼすべての家の食卓には、そこで生活を共にする人数分の椅子が用意されているのが常であろう。だれかと新たに生活を始めるとき、食事をまったく別々にとるという合意がなされるのはきわめて例外的なことだ。ひるがえって、その「共食」の様態が、かれらの現実の暮らしぶりに大いに左右されることも事実である。そこで共に暮らしているのは家族であるかもしれないし、恋人や、あるいは友人どうしであるかもしれない。場合によっては、まったくの他人どうしである可能性もある。さらに各人の経済状況や年齢構成によっても、その実態は大いに異なってくるだろう。

しかしそのいずれにしても、生命維持のためになんらかの栄養摂取を行なわなければならない以上、われわれはつねに何かを食べながら生きていかざるをえない。そしてこの数世紀のあいだ、われわれは「何を」食べるかについては相応の自由を謳歌することになったわけだが、「いつ」「だれと」食べるかについては、いまなお一定の通念に支配されていると言わざるをえない。それは端的に言えば、だれかと共に規則正しく食べるのが「善い」ことであり、そうでないのは「悪い」という通念である。

食事のリズム

前章でわれわれは、ブリア゠サヴァランによる「孤食」への辛辣な批判をみたところである。食事をあくまでも社会的な営為として捉えるこの美食家は、一八世紀末のフランスにおけるレストランの出現を大いに言祝ぎながら、同時にそれが人々の「利己主義を助長する」ことへの危惧を表明して憚らない。かれの観察によれば、レストランのもたらした最大の弊害とは、「周囲への配慮を欠いた」独善的な人間を大量に生み出したことにある。いつでもおのれの気のむくままに食事をとれるレストランは、その大いなるメリットと引き換えに、ブリア゠サヴァラン言うところの利己主義《エゴイスム》を助長するというデメリットをともなっていた。

むろん、ひとり静かに食事をとる人間を頭ごなしに否定する狭隘な「共食」主義は、わたしを含む孤食を愛するものにとって、とうてい許容できるものではない。だが、むしろ現代の良識的な人々の多くが、この有名な美食家の考えに賛同するのではないかと思われる。さまざまな理由により「共に食べる」機会を喪った現代の人々にとって、孤食を「利己主義を助長する」ものとして戒めるブリア゠サヴァランの言葉は、おそらく一定の妥当性をもって響くにちがいない。

しかし、ここでわたしは、そうした口当たりのよい通念におとらず単純な直観に訴えてみたい。それは、われわれがふだん慣れ親しんでいる食事のリズムが、いかに外的な拘束にさらされているかということだ。食事は一日三食を規則的にとることが推奨され、学校や企業をはじめとするあらゆる社会機構がそれにあわせて設計されている。その日の気分や体調にあわせて食事の時間を融通できるのは、現状ではごく一部の人々にかぎられるだろう。

ことほど左様に、われわれの生のほとんどは、かくも他律的な食事のリズムに支配されている。「いつ」食べるかだけでなく、「だれと」食べるかについても、やはり基本的な事情は同じである。現代社会において、朝食は同居する家族と、昼食は職場や学校の同輩と共にとることが、おそらくもっとも「普通の」ことだとされている。夕食の場合はまだいくらか選択の余地があるが、だれかと生活を共にしている場合、基本的にはいつも同じ顔ぶれで食卓を囲むことが、もっとも「普通の」食生活であるという通念に変わりはない。

これらに限らず、食をめぐる規範意識の大半は、食事こそがわれわれの生の土台をなしているという、どのように考えても反論不可能な前提により支えられている。たしかにそうなのだ。ブリア＝サヴァランが言うように、われわれの生命維持には栄養摂取が不可欠である以上、そこで「何を」「どのように」食べるかという問いが軽んじられてよい理由は見当たらない。とはいえ念のため繰り返すが、ここでわれわれが考えたいのは、バルト言うところの「イディオリトミー」の根幹をなす「食事のリズム」の問題である。ブリア＝サヴァランの『味覚の生理学』が世に登場した一九世紀から今日までのあいだ、美味なる食事をめぐってこの地上ではさまざまなことが書かれてきた。しかしわたしの知るかぎり、こうした食事のリズムを、われわれの生の根本的な問題として考えた思想家はさほど多くない。

フーリエの美食学

ロラン・バルトの筆による「ブリア＝サヴァランを読む」（一九七五）は、『味覚の生理学』の序文としての務めを無難に果たしているかに見えながら、その実おそるべき切れ味を秘めたテクストである。前章でその一端を見たように、それはテクストの意図に忠実な解説のようなものではいささかもなく、かといって、これ見よがしに新奇な読みを開陳するたぐいのものでもない。それは、おのが対象とするテクストにすみずみまで目を通したうえで、明示的にはそこに書かれていないことを鋭く抉り出す、このうえなくスリリングな批評の実践である。

そこでバルトがわれわれに残した最大の「謎」こそ、フーリエという名前であった。このわずか二五頁ほどの序文のなかで、バルトは都合四回にわたりフーリエの名前を挙げている。ひとりブリア＝サヴァラン――およびその『味覚の生理学』――を論じるべき文章において、こうまで繰り返しフーリエの名前が召喚されるのは、やはり尋常ならざることであろう。

シャルル・フーリエ（一七七二―一八三七）。その現実離れした社会についてのヴィジョンから、のちにブルトンやクロソウスキーをはじめとする多くの文人に影響を与えたこの思想家は、いついかなるときもブリア゠サヴァランの「そばに控えている」[*1]――これはバルト本人の言葉だが、むろん読者であるわれわれとしては、こうした断言をそのまま飲み込む必要はない。いったいなぜそのようなことが言えるのか。ともにフランス革命によって運命を大きく変えたこの二人のあいだに、同時代人であるという以上のいかなる類縁性が見られるというのか。その理由を、バルトはほとんど詳らかにしていない。

ところで、この謎について考えるとき、ただちに確認しておかねばならないことがある。それは、バルトがこの二人の属人的なつながり、すなわち両人が義兄弟の関係にあったという「事実」をいちどならず仄めかしていることだ。なるほど、かの美食家ブリア゠サヴァランと思想家フーリエが縁戚関係にあったというのは、たしかに人々の耳目を集める話題であるにはちがいない。だが、この二人が義兄弟であるというのは――おそらく『フーリエ全集』の序文を通じて――二〇世紀半ばに広まった俗説にすぎず、昨今これを事実とみなす研究書は管見のかぎり見あたらない[*2]。

よって問題はその先にある。パリでいちどだけ食事を共にしたこともあるこの二人のつながりは、むろん属人的なものでなく、理論的なものにほかならないからである。結論から言うと、かれらの理論は食事、性愛、言語を媒介するひとつの器官、すなわち「口」を介して隔たり、かつ通じている。ここではそれを一言で、口唇性《オラリテ》の問題とよんでおこう。

ブリア゠サヴァランが『味覚の生理学』を「生殖」をめぐる話題から始めていることはすでにのべ

た。日々の食事はわれわれ個々の生命維持に不可欠なものであるが、その先には国家の、さらには人類そのものの繁栄が見すえられている。ゆえにこそ、表むきは美食をテーマとするはずの『味覚の生理学』は、この人物が「第六感」として新たに提唱するところの「生殖感覚」をめぐる議論によって幕を開けるのである。

これとはいくぶん異なったかたちではあるが、フーリエにおいても、飲食と性愛はやはり分かちがたく結びついている。かのエンゲルスが「空想社会主義」とよんだ誇大妄想的なユートピア思想により知られるこの人物は、同時代の流行現象たる美食術《ガストロノミー》に露骨な不満を示しつつ、新たに美食学《ガストロゾフィー》なる学問を打ち立てんとしていた。生前唯一の著書として知られる『四運動の理論』（一八〇八）で「複合美食術（gastronomie combinée）」とよばれているそれは、ブリア＝サヴァランの書物が登場した一八二五年にはるかに先立つものである。[*3]

フーリエが飲食と性愛を同時に論じる理由は、この二つこそが、文明世界においてもっとも大きな抑圧をこうむっている当のものだからである。文明世界は、その非効率なシステムゆえにいたるところで貧困を生み出し、そこに住む人々の快楽は大いに損なわれている。これに対し、フーリエが構想する新世界では、人々の生活は大いに改善され、貧困もなくなり、だれもが日々のあらゆる営みから快楽を得ることができるようになる。

フーリエはそこで、恋愛と食事という二つの大きな快楽の源泉のうち、とりわけ後者について論じる意義を次のように説明している。

神がどれほどの明察をもってわれわれの快楽を用意したかを示すために、わたしは複合秩序において行きわたるべき美食について語ろう。人はともすると、この新たな秩序のうち、恋愛をめぐる余談のほうを好むかもしれない。しかしその議論は、世の偏見と真正面からぶつかるおそれがある。いっぽう、今日ごく限られたものとなっている食卓の快楽について、そのなしとげるべき発達について考察したとしても、おそらく腹を立てるものはいまい。[*4]

この認識はおそらく正しい。生前の著書である『四運動の理論』よりもむしろ、フーリエの死後に日の目を見た『愛の新世界』(一九六七)の草稿を通じて知られるようになったことだが、恋愛をめぐるフーリエの思想は、昨今の社会通念に照らしてもかなり大胆な内容を含んでいる。『愛の新世界』に書かれている内容が、最終的には女性解放の思想に帰着するということがまことしやかに言われたりもするが、実態はそこまで単純でもない。いずれにせよ、ここで吐露されているようなフーリエの予想が、実状に照らしてそう間違ったものでないことは明らかである。

二つの食思想

問題はここからである。これに続けてフーリエは、食卓の快楽のうち、美味なる食事はその半分をしめるにすぎず、あと半分は会食者の適切な組み合わせにより可能になるという。ここだけを読むと、食事をめぐるフーリエの思想は、前章で見たブリア＝サヴァランのそれとほとんど相違のないものと見えるかもしれない。しかしながらフーリエは、そうした理想的な食卓が、われわれのいる世界ではけっして実現されることがないと考えていたようである。それはいまある「文明世界」ではなく、フーリエが「調和世界」（ここでは「複合秩序」）とよぶ来たるべき社会において、はじめて可能になる。

美食は、食卓の快楽の半分をしめるにすぎない。それは会食者の適切な選択によって、さらに高められる必要があるのだ。文明世界が無力なのはここにおいてである。どんなに裕福で洗練されていても、文明世界の人々はおのれの小さな家にすら、複合秩序において集められるような取り合わせのよい仲間を集めることができない。いっぽう複合秩序では、どんなに貧しい人々であっても、食事のたびにそうした仲間を集めることができ、しかもその組み合わせが一年中つねに変わるのである。[*5]

いくつか前提を確認しよう。

第一の前提として、フーリエが「ファランジュ」とよぶ理想的な共同体においては、そこに居住する人数が区画ごとに厳格に定められている。ファランジュの理想的な人数は八一〇人とされるが、現在の単位に換算してみると、おおよそ五キロメートル四方の土地に、約六〇〇の人間が生活している計算になる。そこでは「カントン」という区画単位が与えられ、同区画の作物や家畜の生産量は厳密に管理される。さらに田畑にとどまらず、狩場や、漁場や、樹林なども、同じくしかるべき方法によって整えられる必要があるとフーリエは力説する。

第二の前提として、フーリエの理想とする世界においては、快楽の最大化こそが何にもまして優先される。フーリエは結婚をはじめとする文明世界の常識を批判してやむことがなかったが、それはとりもなおさず、そうした社会常識がわれわれの快楽を損なっていると考えたためであった。そのためフーリエにとって、文明世界における食事のありかたを改善することは、もっとも喫緊の課題のひとつなのである。

以上がさしあたりの前提である。その先は作物や家畜をめぐる実務的な話題がひたすら続くのだが、この思想家についてつねづね言われるように、基本的にこれらの内容は「空想」の域を出るものではない。いずれにせよフーリエは、調和世界が到来した暁には、そこで共に生きるすべての人々が、文明世界の王侯貴族よりもはるかに充実した食生活を送ることができると考えていた。そして、やがて話題は「美食」とならんで肝要な「会食者」に戻ってくる。それに該当する一節を注意深く読むと、いっけん見紛うばかりであったブリア＝サヴァランとフーリエの食思想が、じつはまったく異なるタイプのものであることがわかる。重要なところなので、やや長めに引用しておきたい。

なるほど、美食こそはこの快楽の基礎であり、それにもっとも欠くべからざる条件であるにはちがいない。しかしそうだとしても、それを思いがけない甘美な出会いによって日々いっそうおもしろくさせるもの、また、もっとも貧しい人にさえ、あなたがたの哀れな所帯とはまるで両立しえない魂の快楽を保証するものがある。それは適切な会食者の配合であり、来客に変化をもたせ、取り合わせを按配する技術である。この点において、あなたがたの文明は滑稽きわまりない。大金を投じて設けたあなたがたの会合、さらにはもっとも派手な宴会ですら、普通の人にとっては取り合わせ悪くおかしな構成であるため、人はなすところを知らず退屈で死にそうになっている。そんな饗宴は、もはや奉公人の快楽にすぎない。いや、おそらくそれ以下であろう。なぜなら奉公人といえども居酒屋では陽気に戯れあい、精神および感覚の快をともに見いだしているのだから。ところがあなたがたのサロンたるや、晩餐を待つ死にそうに長い小一時間、人々はそこであくびをする始末なのである。*6

フーリエがここで戯画的に示しているのは、のちにブリア＝サヴァランが累々その意義を論じることになる、ブルジョワたちの食卓の光景そのものである。かれらはわざわざ大枚をはたいて豪華な会食をセッティングするが、その饗宴がいかに退屈なものであるかを、ここでフーリエは皮肉たっぷりに述べたてているのだ。食事を楽しむにはしかるべき隣人が必要であるということについて、二人の意見はこのうえなく一致している。しかし、ブリア＝サヴァランがその理想をブルジョワたちの会食のうちに見いだすのに対して、フーリエはその幻想を真正面から破壊しにかかるのだ。たんなる偶然といえばそれまでだが、ここにも例の象徴的な言い回しが見える。ブリア＝サヴァランはこう言っていた——万事に配慮の行き届いた、適切な食卓を囲んでさえいれば、われわれは「すくなくとも一時間は」退屈することがない。前章でみたように、バルトはこれを次のように読みかえた——そうした食卓の快楽は、実のところ「はじめの一時間しか」持続しない。しかしさらにフーリエにとって、この同じ時間は、退屈で「死にそうに長い小一時間（une mortelle heure）」にほかならないのである——「文明世界の享楽とは、なんとむなしいものであることか！」

他方、調和世界において、人々はもはやこうした退屈な営みに身を投じる必要はない。そこでは金持ちだけでなく、どんなに貧しい人でも、毎日ひとしく楽しい食卓を囲むことができるからである。しかし、そのようなことがいかにして可能なのか。

単調さからの脱却

フーリエが考えたのは次のような方法であった。調和世界のあらゆるカントンで、人々は日がな「取引場」に集まる。かれらはそこで、むこう数日間の労働や娯楽について無数の相談を行なうのだが、そこにはむろん食事にかんする事柄も含まれる。つまり、フーリエの構想する調和世界において、食事を共にするメンバーはつねに決まっているわけでなく、取引場でのやりとりに応じて「一年中つねに変わる」のである。

ここではっきりさせておくべきことがある。一日のうちにとるべき食事の回数やタイミングについて言えば、ファランジュのそれは今日よりもはるかに厳格である。いわく、そこで人々は一日に五回食事をとらねばならない。午前五時に早朝食、八時に朝食、続けて午後一時に昼食、六時に夕食、九時に夜食。そのほか、午前十時頃と午後四時頃に二回の軽食が挟まれる。[*7] その理由をフーリエは、新世界においては人々が今より激しく仕事に従事し、それに応じて二、三時間ごとに空腹を感じるためであるとしている。そうした長きにわたる体質改善の結果、子どもたちは次第に鋼鉄のような軀を獲得し、やがて人類の平均身長は二・三メートルに、平均寿命は一四四歳に達するだろう——フーリエはそのように予言する。最後の空想じみた部分はさておくとしても、フーリエの調和世界において、かれの求める食事のリズムが今日のそれ以上に規則的なものであることは、ひとまず疑えない。

だから、むしろ注目すべきは会食者の「組み合わせ」のほうである。フーリエは文明世界の最大の欠陥を、その「単調さ」のうちに見いだしていた。これはフーリエの恋愛観にも通じるところだが、われわれの快楽の機会逸失がどこで生じるかといえば、それは代わりばえのしない単調な暮らしにおいてである、というのだ。だからフーリエは、恋愛にしろ食事にしろ、単調なリズムを可能なかぎり遠ざけるべきであるとする。何となれば、文明世界における所帯の不幸の源泉のひとつは、「いつも同じものばかり食べる」[*8] ことへの倦怠のうちにあるからである。別様に考えれば、だれもがこうした単調さから解放されるなら、人々は観劇や舞踏会のような「反所帯的な享楽」[*9] にふけることもないだろうし、わざわざ持ち回りで豪華な宴会を開くこともないだろう。

フーリエが考えた「単調さ」からの脱却とは、食事のタイミングを個々の自由に委ねることではなかった。むしろ調和世界における時間の配分は、文明世界におけるそれよりもはるかに厳密である。調和世界において、人々は一時間、場合によっては一五分ごとに、異なる快楽に身を投じるという。[*10]労働であれ、余暇であれ、食事であれ、これについてフーリエの姿勢は驚くほど一貫している。ある意味で、ここで喧伝されているものを、規律訓練《ディシプリン》としての快楽と言ってみてもいいかもしれない。しかし、それもこれもすべて、われわれの快楽を損なう最大の原因である「単調さ」を回避するためにほかならない。

したがってフーリエが標榜する「食事のリズム」は、時間的な融通によって担保されるものではない。そうではなく、食事を共にする人々をたえず変えることによって、食卓を囲む顔ぶれに変化をもたせることが、そこでは第一にめざされている。そこで食卓は、家族、恋人、友人をはじめとする親しい人々によって囲まれるものであることをやめる。ファランジュにおいては、ほとんど無限の組み合わせからなるテーブルが食事のたびごとに結集し、そしてすぐさま解散するのだ。

そこでフーリエは、食事を共にすべき人々として「恋人、家族、友人」のみならず、まったくの他人、とりわけ「外国人およびそれ以外の人々」[*11]を含めることを忘れない。ブリア＝サヴァランが理想としたのは、互いによく見知った、同じ階層に属するものたちからなる食卓であった。それこそ、フーリエ言うところの悪しき「文明世界」で一般的に見られる光景にほかならない。これに対してフーリエは、年齢も趣味も異なる、さまざまな人間が集まる食事の場面を夢想していた。ここでもやはり、二人の理想とする食卓はあからさまな対照をなしていると言ってよい。

フーリエと「食客」

ここまでをまとめよう。いわゆる「食卓の快楽」は、大きく分けて、食事と会食者という二つの要素からなる。このことについて、ブリア＝サヴァランとフーリエのあいだに大きな意見の相違はない。二人のあいだに横たわるのは、そこで集められるべきメンバーに対する認識の相違である。美食家がなるべく同じ階層のものたちで集まることを好むのに対し、空想家のほうは、なるべくさまざまな属性のものたちと交わることを好む。こうした相違は、革命後のパリで判事として幸福に過ごしたブリア＝サヴァランと、革命により財産のほとんどを没収され、その後は親族に寄生するようにして生きたフーリエの実人生の対比を思わせなくもない。

いま簡単にふれたように、フーリエはフランス革命によってそれまでの財産を失い、それから長く苦渋に満ちた人生を送ることになった。革命に対するフーリエの悪感情は、端的にこうした個人的経験に由来する。とはいえ、すくなくともそれ以後のかれの暮らしぶりは、貧困というより寄生とよぶにふさわしいものであったように思われる。とりわけ一八一二年に母親が亡くなると、フーリエはその遺言により年間九〇〇フランの年金を得ることになり、それによって暮らしぶりはだいぶ安定したものになっていたはずだからである。
それから三年後の一八一五年、フーリエは姉マリエット・ド・リュバの家族のいるビュジェに腰を落ち着け、それからの五年間はほぼ執筆活動に専念することができた。フーリエにはマリエットやソフィーをはじめ四人の姉がいたが、かれはその間、ビュジェの田舎で甥や姪の面倒をみながら生活していたのである。田舎でのこうした牧歌的な生活は、フーリエとその親族、とりわけオルタンスやアガトといった複数の姪との決定的な諍いにより終わりを告げる。このときの経験が、のちにシモーヌ・ドゥブーによって編纂された『愛の新世界』の内容に大きな影響を及ぼしていることは知られる通りだが、ここではそうしたフーリエ個人の——たぶんにスキャンダラスな——色恋沙汰には深入りしない。[*12]
ここで考えておきたいのが、すくなくとも実人生のそれなりの期間、経済的にはほとんど寄生状態にあったフーリエのなかで、食客《パラジット》というものがいかなるしかたで構想されていたかということである。というのは、あまり目立ったかたちではないが、フーリエの書き物において寄生状態《パラジット》への批判は激烈きわまるものがあるからである。
あるところでフーリエは、この文明世界がいかに多くの食客で満ち溢れているかを忌々しげに論じている。[*13] ただし、その批判の勘どころを取り違えてはならない。フーリエによれば、およそほとんどの人間は、この社会に寄生しつつ生きながらえる食客にほかならない。かれの考えるところでは、その割合は全労働人口の三分の二にのぼるという。つまりそこで「食客／寄生」と言われているもののの実態は、通常われわれが考えるようなものからはほど遠いのである。なぜなら、これは文明世界のありかたそのものに原因があるのであり、そこで大量の食客が生まれてしまうのも、構造的にやむをえないことだからである。そこでフーリエが「食客」とよんでいるのは、まっとうな人々の稼ぎからその一部を不当にくすねとる、例外的な人物のことでは明らかにない。なぜならそのなかには、ほぼすべての給与所得者から被扶養者まで、さらには役人や警察から浮浪者にいたるまで、あらゆる職業・属性の人間が一緒くたに含まれるからである。その意味において、この文明世界において食客／寄生とは例外的なものではいささかもなく、むしろわれわれ一人ひとりが食客であることこそが常態なのである。

そのなかで、あえて例外ということを言うなら、フーリエがとくに忌み嫌っていたのは「商人」であった。商人における食客の割合はおよそ九〇パーセントにおよぶというから、その割合はフーリエが「家庭内の食客」とよぶ被扶養者たちよりもはるかに大きい。商品の流通によって利益を得る商人たちは、本来であれば経済活動における代行者の地位をしめるにすぎない。しかしそれにもかかわらず、現実では、この商人こそが経済活動の中心にいる。フーリエによれば、こうした商人たちこそ「結託した海賊の一味」にして「ハゲワシの群れ」にほかならない。[*14] フーリエにとって、商人こそはきわめつけの食客である。こうした議論をみても、かれが「食客」とよぶものが、金持ちに寄生する詐欺師のようなものとはまったく異なることがわかるだろう。

言葉へのフェティシズム

ここまで、われわれはもっぱらブリア゠サヴァランとフーリエの差異を強調してきた。しかし、もともとの問題は、バルトがいっけん対照的なこの二人を隣り合わせた根拠とは何であったか、ということである。最後にこの謎に立ち返ることで本章を締めくくることにしよう。

「食卓の快楽」をめぐって対照的な姿勢をみせるこの二人が、それにもかかわらず同じ平面におかれるべき理由とは何か。それは、言語というものに対する、かれらのある特殊な嗜癖のためである。

われわれのテクストにおけるバルトの慧眼のひとつは、ほかならぬ新語愛好家《ネオローグ》としてのブリア゠サヴァランへの着目にある。食事をめぐるあれこれの問題に並々ならぬ関心を寄せたこの法律家は、なぜかやたらとネオロジスム――いわゆる「造語」――を好んで用いた。およそ五ヵ国語に通じていたというブリア゠サヴァランが、『味覚の生理学』のなかで、時に英語やスペイン語の言い回しを用いているのは知られるところである。だが、それに加えてこの美食家は、おのれの第一言語たるフランス語にも、しばしば不自然な加工をほどこしている。

たとえばバルトは次のように言っている。この美食家は、言語というものに深い欲望を抱いていた。げんに、当時の一般的なフランス語にはない新語の発明は言うにおよばず、こと飲食にかかわる場面になると、そこでは「spication（舌が穂のかたちになること）」や「verrition（舌が箒のように動くこと）」といった奇異な言い回しが随処に見られるのだ。バルトいわく、これら特異な文章表現は、この人物が言語に対して抱いていた深い欲望の痕跡とみるべきである。

> ブリア＝サヴァランは明らかに、言語《ラング》とのあいだに恋愛関係を結んでいる――それは、かれが食べ物とのあいだに結ぶ恋愛関係と同じものである。つまり、言葉の物質性そのものにおいて、かれは言葉を欲望するのだ。げんに舌《ラング》が咀嚼に加わるときの動きを、奇怪な学問用語の助けを借りて分類する、その創意工夫は驚くべきものではないか――とりわけ、*spication*（舌が穂のかたちになること）や*verrition*（舌が箒のように動くこと）といったものがそれである。それを二重の快楽とでも言おうか。［……］トリュフや鮪入りオムレツやマトロートを欲するようにして、ブリア＝サヴァランは言葉を欲する。かれは、ほかの新語《ネオローグ》愛好家がみなそうであるように、珍しい言葉がもつ特殊性に囲まれながら、その言葉とフェティッシュな関係を結ぶのである。[*15]

言葉に対するこうしたフェティッシュな欲望こそ、ブリア＝サヴァランにおける倒錯的なものの拠って来たるところなのである。

ゆえに、バルトがここでフーリエの名前を複数回にわたり喚起しているのは、このうえなく適切なことである。フーリエを読んでいるとすぐさま気づくことだが、そこではブリア＝サヴァランの『味覚の生理学』と同じく、場合によってはそれよりはるかに奇怪な言葉がそこかしこに登場する。通常、論文のはじめにおかれる「緒文（prologue）」に対応した「結文（exterlogue）」なるものの必要を説いてみたり、あるいは人間のもつさまざまな情念を「感覚情念」「感情情念」「配分情念」の三つのカテゴリーにそくして一二種類に分類してみたり、この空想家の言葉づかいにも、美食家のそれにおとらず相当に偏執的なところがある。美食術《ガストロノミー》への批判を意図して考案された美食学《ガストロゾフィー》という単語からしても、それは端的にうかがえるだろう。

食卓をめぐる理想について対立するところを含みながら、それでもこの二人が隣り合う理由は、かれらがそうした言葉へのフェティシズムにおいて相通じ合っているからである。そこでは「食べること」と「愛すること」にとどまらず、「食べること」と「話すこと」もまた、いつしか不可分なものとなるだろう。そうしてかれらは、世にも珍しい一皿を求めるのとまったく同じ作法で、それまでにない新奇な一語を求めるようになる。それが、ブリア＝サヴァランとフーリエという、いっけん縁遠いこの二人を深いところで結びつけているのだ。

食事、性愛、言語――この口唇性《オラリテ》にまつわる問題のうち、性愛をめぐる議論はいったん措こう。飲食と会話、あるいは美食と社交。これら不可分な営みにおいて最大限に活用される器官、むろんそれは「口」にほかならない。食事の味を口のなかで吟味するとき、食卓を囲む会食者たちは、まさに同じ口唇と舌先でもって、その場にふさわしい言葉を探りながら時を共にする。それが、バルト言うところの「二重の快楽」というわけだが、むろんそのような事態は、そのテーブルにつくメンバーが同じ資格において隣り合う場合にかぎられる。

飲食と会話という、いずれも「口」を介してなされるこれら二重の営為は、ただ同時的に生じるのみならず、しかるべき方法で交換されるものでもある。あなたが食べているとき、わたしは言葉を与える。わたしが食べているとき、あなたは言葉を与える。いずれにしても、わたしたちは飲食と会話を厳密に同時に行なうことはできないのだから、そこにはこうした相互的なやりとりがつねに発生していることになるだろう（そうでなければ、ひたすら喋っている人間の皿は、いつまで経っても平らげられることはない）。

それぞれ口を通してなされるこれらの絡み合いは、食客という「類型的人物」において、ひとつの思想的な問題を形成することになる。古くより、もっぱら喜劇に登場することで知られるこの人物《キャラクター》は、おのれの「口」（＝言葉）をたよりにどこかの食卓に入り込み、そこで首尾よくみずからの「口」（＝空腹）を満たす人間のことをいう。

これから、われわれはいくつかの目印をもとに、そうした「類型的人物」としての食客の足跡をたどることになるだろう。あらかじめ言っておけば、食客をめぐってつむがれる「思想的問題」とは、いかにも口当たりのよい「歓待」や「扶助」をめぐるそれではない。そこではむしろ、同じ「口」という器官を媒介とした、食べ物と言葉の「交換」こそが最大の問題となっているからだ。

次に来るのは、そうした食客たちをめぐる系譜学の試みである。そのために、まずは紀元二世紀のギリシアに立ち戻っておこう。そこでわれわれを待ちうけるもの——それは、すべての始まりであるところの、ルキアノスの『食客』である。

第四章

食客

ここで、本書のはじめにふれた、ひとつの違和感に立ち返っておこう。わたしは「共生」を達成されるべき高邁な理想とみなす立場には、やはりどこか馴染むことができない。わたしにとって共生とは、おのれがあらかじめ巻き込まれている、およそ逃れられない現実のことだからである。

それは、あらかじめそれとして認識可能な他者との共生にはとどまらない。われわれが認識することが不可能な——とまでは言わずとも、ふだんそれと意識することが困難な——他者との共生についても、やはり同じことが言える。わたしたちは、なにものかと共に生きようと決意するはるか前に、すでに共に生きてしまっている。この事実がいかに居心地の悪いものであろうと、それを否定することはむずかしい。これは心理的な問題ではいささかもない。いましがた言ったような「共生」というのは、あくまで存在論的な問題だからである。

そう、注意しなければならないが、ここで問題としている「共生」をめぐる言説への違和感は、いわゆる心理的な葛藤に還元されうるようなものではない。肝要なのは、自分と異なるものたちとの共生を、あくまでも存在論的な所与として考えることだからである。しかし、同時にそのような構想は、どこまでも人間を中心とした従来の哲学理論からも隔てられるべきものであろう。

ここで想定している「理論」がどのようなものであるか、さしあたりその典型的なモデルを見ておきたい。たとえば、「人間はつねにすでに、たがいの存在を分かち合っている」というタイプの議論がある。このたぐいの思想が時に問題含みなのは、それがしばしば次のような帰趨をもたらしてしまうからだ。すなわちそこでは——その呼称はさまざまだろうが——なんらかの共同性や関係性が、個々の人間に優越するという一般的なテーゼが導出される。そのとき「わたし」という存在者は、非人称的な存在の次元にあらかじめ埋め込まれてしまい、そこからの離脱、ないし隔絶の契機は永遠に奪われてしまう。それは、個体に先立つ共同体の所与性を補強するものでこそあれ、前者の後者からの解放を担保するものではいささかもないだろう。

ここで考えたいのはそのようなことでもない。そうした共同体主義的な理論との違いを際立たせるのであれば、さきほど用いた「存在論的」という形容を、いったん放棄したとしてもかまわない。わたしがここで問いたいのは、それとして意識するしないにかかわらず、人間の世界の内外であらかじめ成立してしまっている、唯物論的な共立の問題であるからだ。

寄生のパラダイム

どういうことか。

ここで、たとえば次のような事実を引き合いに出してみてもいいかもしれない。わたしたちの生は、そもそも他者の死骸や排泄物を摂取することによって成り立っている。わたしたちの生命維持に不可欠な呼吸は、植物の排泄物であるところの酸素を取り込むことと同義である。ゆえにつきつめて言えば、もっかの問題は、どこか倫理的・道徳的な香りのする「何を食べるか」の問題ですらない。

ここのところ、「植物の生」をめぐる思想によって知られるようになったエマヌエーレ・コッチャ

（一九七六－）という人物がいる。もともと中世哲学を専門とするこのイタリア生まれの思想家は、一〇代のころには農業高校に通い、そこで現在まで続く「生の哲学」への興味を培ったというユニークな経験の持ち主である。そのコッチャの名前を一躍知らしめたのが、母語ではないフランス語で書かれたはじめての著書である『植物の生』（二〇一六）であった。[*1]

この思想家は言う。この地上のどんな生命も、おのれ以外のべつの生命なしには存在しえない。われわれは他なる生命によって生を享け、他なる生命を取り込むことによって、つねにみずからを維持している。さもなくば生は存在しえず、その生を延長することも叶わない。ゆえに、おのれの生を生きるということは、同時に他者の生を生きることでもある。

そのような事態を「共生」という生ぬるい言葉によって捉えることは、おそらくできない。むしろコッチャが言うように、生物の領域には「寄生、あるいは共喰いの関係が存在する」というべきである。

ほぼすべての生物の生き延び［survie］は、ほかの生物の存在を前提としている。あらゆるかたちの生命［vie］は、この世界にあらかじめ生命があることを要求しているのである。人間には、動物と植物によって生み出される生命が必要だ。高等生物は、食物連鎖のプロセスを通じて相互に生命をやり取りすることなしには、生き延びることができない。生きるとは、根本的に、他者の生を生きることである。つまりそれは、ほかの生物が構築した、もしくは創出した生命のなかで、その生命を通じて生きることである。生物の領域に固有の、普遍的な寄生［parasitisme］あるいは共喰い［cannibalisme］の関係のようなものがある。生物はみずから栄養を摂取し、おのれのことだけを観想し、ほかの形態、ほかの存在様式をつくり上げるために、ただおのれ自身を必要とするのである。[*2]

ここでいう寄生関係、あるいは共喰いの関係というのは、自然界の食物連鎖に代表されるような、いわゆる捕食関係に限られない。さきほども言ったように、たとえばわれわれの「呼吸」というのは、ある意味では植物の排泄物をすすんで取り入れることに等しい。こうしたミクロな次元で観察されるのは、食物連鎖のような捕食関係よりもはるかに複雑、かつ大規模なものである。つまり、わざわざ飲食のことを持ち出さずとも、われわれの日常的な生命維持活動がすでに、膨大な生命のやりとりを前提としているのである。

呼吸はすでにして、共喰いの原初形態である。つまりわれわれは、植物が排泄するガスを日常的な糧としているのであって、ゆえにほかの生命によって生きることしかできない。ひるがえって、あらゆる生物は、まずもってほかの生命を可能にするもの、すなわちあらゆるところを循環することができ、他者によって取り込まれることのできる、他動詞的な生命を産み出すものである。[*3]

生命はつねに、おのれに先行するものと後続するものとのあいだにある。それは他なる生命を糧として生まれ、やがて他なる生命の糧となる。いかなる生命もまったく独立しては存在しえない以上、それはつねにほかの生命との連鎖のなかにある。こうしたことを根拠に、その不動性から従来もっぱら最下位におかれてきた植物こそが、「浸り」によって生命の連鎖を支えるもっとも根本的な生物なのだという価値転換が生じる。それこそ「混合の形而上学」を謳う同書が、ほかならぬ植物を中心におくゆえんである。

むろん、こうしたコッチャの思想に、どこか疑念がともなわないわけではない。というのも、こうした思想の背後に透かし見えるのは、まるでこの地上のすべてがひとつに溶け合っていくかのような、一元的・全体主義的な世界だからである。くだんの『植物の生』ではそこまで目立つものではないが、その続篇にあたると言ってよい『メタモルフォーズ』(二〇二〇)を読むかぎり、そうした懸念はやはり拭いがたいように思える。[*4] しかしこの話題は、いまはさしあたり措こう。

わたしがここで「寄生」という言葉によって名指したいのは、文字通りほかの生に寄らずしては生きることのできない、わたしたち一人ひとりの生の現実である。あるいは、より直截的に、それを「自立した生」の不可能性と言いかえてもよいだろう。もっかのわれわれの試みのひとつ、それは人口に膾炙《かいしゃ》した「共‐生(co-existence)」のパラダイムから、あらたな様相のもとで捉えられた「寄‐生(para-existence)」のパラダイムへの転換である。

類型的人物

議論を戻そう。

食客とは何か。それは友と敵、身内と他人といった、わかりやすい二分法にはうまく収まらない何ものかである。食客はいつもわたしたちのまわりにいるが、その姿はいつも見えているとはかぎらない。そうした不可視の道づれ——それが、われわれがここで食客とよぶところのものである。

なぜ食客は「目に見えない」のか。それは、かれらがわれわれの認識の網目に、うまく引っかかることのない存在だからである。食客はたしかにそこにいる——ただし不審な存在者として。そうした友と敵、内と外の論理から外れたところにある「何か」を、われわれはさしあたり食客とよんでいる。

従来、この食客はたんなる「類型的人物」としての身分を与えられるにとどまってきたように思われる。それは古代ギリシアの中喜劇（紀元前四世紀）において、すでに常連の地位を獲得していた。[*5] さらにその後も食客は、西洋の文学作品のなかにたびたびその姿をあらわすことになるだろう。とはいえ、そこでの食客は、いわば物語のなかで「飼いならされた」定番のキャラクターにすぎない。いつのまにか他人の食卓に入り込み、そこで飲食にあずかる存在としての食客は、ほとんどの場合、その本来のポテンシャルを剝奪されている。

というのも、事態はもうすこし複雑であるからだ。食客をお決まりの喜劇的なキャラクターへと封じ込めようとするのは、こう言ってよければひとつの——フーリエ言うところの「文明世界」の——防衛機制にほかならない。しかし、これに抗するわれわれとしては、食客をお決まりの役柄に封じ込めて安心するのではなく、あえてその根源に立ち返ってみたい。そうすることではじめて、われわれはほんとうの意味で食客と出会うことになる。

ルキアノスの「食客」

あらためて問おう。食客とは何か。前章までの問題系をふまえるなら、われわれはまずもってそれを「言葉」との関係において考えなければならない。食客は、ただ漠然と他人に寄生するだけの「ぬるい」存在ではない。かつてミシェル・セールは、それを「世界最古の職業」であると言った。

食客は招待主の食卓に招かれる。食客はその返礼に、自分の語りと笑いとで会食者を楽しませねばならない。食客は、きわめて正確なしかたで、美味なる料理と甘美な言葉を交換する。言語の貨幣で食費を払い、それを購う。それは世界最古の職業である。[*6]

食客とはひとつの職業《メチエ》である。つまり食客はなにも、主人の善意にあずかるだけの、お気楽な存在なのではない。食客は、食事や寝床の提供を受けるかわりに、宿主に対してその正当な対価を支払っている。その対価とは何か。それは言うまでもなく「言葉」である。食客とは、ほかならぬおのれの言葉と引き換えに、飲食にあずかるものたちのことである。

それゆえ食客とともに、言葉は貨幣のごとく取り引きされるものとしての——本来の？——性格をあらわにするだろう。それはふだん、われわれがあえて忘却していることのひとつではないだろうか。というのも、われわれの日常的なやりとりにおいて、言葉はたんなるコミュニケーションの道具として、あるいは純粋な贈与交換として、もっぱらエコノミーの外におかれているからだ。だからこそ、セールが言うような「職業」としての食客は、言葉がある状況のもとで貨幣の役目を果たすという事実を、このうえなくはっきりと明るみに出すだろう。

ところで、古代ギリシアのポリスには、そうした食客に類するものたちがいた。それはソフィストとよばれる人々である。

そもそも「ソフィスト」とはいかなる人物のことか。今日でもなお、この疑問に答えるには、何をおいてもプラトンに立ち戻らねばならない。かのソクラテスを主人公とする『国家』や『ゴルギアス』といったプラトンの対話篇こそ、後世におけるソフィストをめぐる認識を決定づけたものだからである。しかし現実のソフィストとは、じっさいのところいかなる人々であったのか。若者に教えを説くもの（教育者）、さまざまな知に通じたもの（知識人）、語りの技術を演じ伝えるもの（雄弁家）など、ソフィストをソフィストたらしめる要素にはさまざまなものがあり、それを一口に言いあらわすのはむずかしい。「ソフィスト（ソピステース）」とは文字通りには「知者」という意味だが、それが——すくなくともプラトン以来——もっぱら否定的な呼称であったことに鑑みるなら、さしあたりそこに「識者」という含みのあるニュアンスを与えてみてもいいかもしれない。

そのうえで言うと、ソフィストとは、食客よろしくおのれの言葉を金銭に替えるものたちであった——そのように見ることが可能である。プラトンも、そして同じくアリストテレスも、ソフィストが（見せかけの）知恵によって金銭を得るものであるという説明をいちどならず行なっている。[*7] ソフィストは法廷や広場で巧みに言葉を操る雄弁家であり、同時に人々にその方法を伝授する教育者でもあったわけだが、いずれにせよかれらはおのれの「言葉」を「金銭」に替えることで、みずからの軀を養っていたのである。

このソフィストが、古代ギリシアにおける哲学の誕生に深く関わっていたことはよく知られている。プラトンの複数の対話篇において、哲学者ソクラテスの勇姿は、しばしばソフィストとの対決を通じて示される。なぜなら、言語《ロゴス》によって真理に到達する営みとしての哲学が第一に必要としたのは、世にはびこるソフィストの詭弁からおのれを隔てることであったからだ。むろん、「哲学（ピロソピアー）」という言葉そのものの誕生は、そこからさらに遡るイオニアおよびイタリアの自然哲学——とりわけピュタゴラス——に帰せられるべきものである。だが、ソクラテス＝プラトンによる「哲学」なる営みの上演は、言葉を功利的なしかたで用いるソフィストを仮想敵とすることで、はじめて可能になったと言っても過言ではない。というのも、そうした「敵」を欠いたとき、言葉によって真理へ到達することを説く哲学者の姿は、たんなる詐欺師のそれといくぶん見分けのつかぬものとなるだろうからだ。というより、げんにソクラテスがそうした行ないによって死に処せられたからこそ、プラトンはその名誉回復のために、ソクラテスがたんなるソフィストでは「ない」ことを、何としてでも証明しなければならなかった。

しかしながら、哲学者とソフィスト、哲学と詭弁をめぐるこれらの対立は、まさにわれわれがそこから逃れようとする対立そのものである。ソクラテス＝プラトンはソフィストの営為をたんなる知的パフォーマンスとしてしりぞけるが、繰り返すように、それはむしろ哲学にとって必要な「影」であったと考えなければならない。おのれの知を商売道具とする小狡いソフィストと、そうした知の売買とは無縁な、善良で哀れなソクラテス——そのような図式はたしかに見やすい。しかし、すこし疑ってみれば明らかであるように、それはそれであまりにも出来すぎた物語ではないか。

かりにソフィストが哲学者の影であるとしよう。しかし、そこから導き出される当然の推論として、そのソフィストにもまたべつの影が取り憑いているのではないだろうか。もはや明言するまでもないだろうが、ここではほかならぬ食客を、この二重の影として考えてみたいのである。豊富な知識を持ち、言葉を思いのままに操る賢人でありながら、教育者でも雄弁家でもなく、ただ主人の傍らで(para)、食事(sitos)をくすねるだけの人間——そのような由来をもつ食客《パラシートス》こそ、哲学者とソフィストの対立を横から突き崩す、第三の人物にほかならない。

こうした問題意識から、どうあっても読んでおかねばならないひとつのテクストがある。それは、紀元二世紀に書かれたルキアノスの『食客』という対話篇である。シモンとテュキアデスの二人の対話からなる『食客』は、哲学でも弁論術でもなく、「食客術」こそが至高の技術である、という冗談のような結論をもつ諷刺作品である。

その内容に目をむける前に、このルキアノス（一二五頃－一八〇頃）という人物について、その作品から伝わるプロフィールをごく簡単に要約しておこう。[*8]

「サモサタのルキアノス」として知られるこの人物は、現在のトルコにあたり、シリアにもほど近いユーフラテスの河畔サモサタに生まれた。石工であった叔父のもとで彫刻家の見習いをしていたルキアノスは、やがてその道を辞し、まずはイオニアに移って弁論術を学ぶ。そして、その弁論の技術をもとに、ギリシアからイタリアへ、さらにはイタリアからガリアへと、かなり広範囲におよぶ土地をわたり歩いたとされる。しかしそこから一転、四〇歳のころにアテナイに落ち着き、ここではおもに哲学に専念する。そして、これら豊富な経験と学識をもとに、対話篇を中心とした諷刺作品の作者として大きな成功を収めた。今日ルキアノスに帰される作品のほとんどは、これら流浪の日々を経たアテナイ定住期（四〇代）のものであるとされている。五〇歳のころに執筆をやめ、ふたたび放浪生活に戻ったようだが、その理由はわかっていない。晩年はエジプトで官職に就いていたというが、現在にいたるまでそれ以上のことを伝える記録はなく、死因なども含めすべて不明である。

食客術とは何か

対話篇『食客』は次のような次第で進む。

まず、テュキアデスが藪から棒にシモンに問う。「いったいきみはいかなる技術を持っているのか」。これに対してシモンは答える。自分は音楽も、医学も、幾何学も、さらには弁論術や哲学もからっきしである。だがシモンはふと思い出したように、自分はすでにあるひとつの技術に熟達していた、と言う。はじめはそれを口にするのをためらうのだが、テュキアデスにうながされておずおずと言ったその答えが「食客の技術」であった。

このやりとりのなかで登場する食客術《パラシーティケー》なるギリシア語は、むろん当時においても一般的な語彙ではない。食客がひとつの技術である、というシモンの言葉を訝しく思うテュキアデスが、弁論術《レートリケー》や文章術《グランマティケー》にならって「食客」からひねり出したものである。そこから、シモンはこのテュキアデスの疑念を拭い去るべく、食客術がいかなる意味において技術であるのか、そのさらなる説明を試みる。

そのシモンの論証は、技術を技術たらしめる要素に手際よく訴えた、ある意味で模範的なものである。まず技術とは「ある目的にむけて調和的に行使された、生きるのに役立つ知識の集合体」である。[*9] これは、当時における技術の定義としてごく標準的なものであり、テュキアデスもこれに対して異論を示す様子はない。それを承けてシモンは、次に食客術がこの定義に照らして何ら恥じることのない技術であることを滔々と語る。それはおおよそ次のような内容である。

まず、食客たるもの、どこのだれのところで食客をすればうまくいくのか、ただしく見きわめることができなければ始まらない。つまり食客は、予言者よりも正確に、ある人が立派な人物か、そうでないかを見分けることができるということだ。食客が行使する「技術」には、たとえばこうした「人を見る目」も含まれる。

さらにシモンは続ける。食客は、おのれの養い主に親密で好意ある感情を抱いてもらうために、知恵と確固たる知識を身につけていなければならない。なかでも食品の良し悪しや、料理についてのさまざまな知識は不可欠である。というのも、そうした知識がなければ、食客は招かれた食事の席で、他者から称賛されるような言葉を繰り出すことなどできないからだ。それゆえ食客は、抜きん出た知恵と知識の持ち主でなければとうてい務まらない。シモンはそのように言う。

ちなみに、こうした食客の技術が、「才能」と「技術」の両輪からなると説くシモンの口ぶりは、当時における弁論術の教えをただちに想起させるものである。すなわち弁論「術」といっても、そのすべてが小手先のわざに還元されるわけではない。すぐれた演説は、天賦の才能と獲得された技術の融合によってはじめて可能になる――それが当時の常識であった。イオニアで弁論術を学んだルキアノスであるから、もちろんそのことは承知していたはずである。こうした細かなくだりひとつをとっても、この諷刺作家の類まれな力量がうかがえるというものである。

そうして、やがてシモンは結論づける。食客術とは「飲むこと、食べることの、そしてそれを獲得するために弄すべき言葉の技術」であり、その目的は「悦楽」にある。[10] なおかつ、それはたんなるひとつの技術であるという以上に、総体的にみてもっともすぐれた技術である、という。

> 総体的にあらゆる技術を凌駕しているというのは、つまりこういうことです。どの技術もすべて、その習得には苦労、畏怖、鞭打ちがまずあることは避けられません。厄介になりたくないものばかりですが、ところがこの技術だけは、わたしの見るところ苦労しらずで習得できます。宴席から泣いて帰ってくるような人間がどこにいますか。学校帰りの子供らにはよく見かけますがね。また宴会へ出かけるのに、学校へ行く子供のように嫌々行く人間がどこにいますか。食客はみずからすすんで宴席に臨み、その技術を十全に発揮することを欲します。ところがほかの技術の習得者はその技術を憎むのです。なかにはそのために、家から逃げ出そうとする者もいるくらいです。[11]

繰り返すが、こうしたもっともらしい論証そのものが、哲学や弁論術のそれに寄生的なしかたで遂行されていることに注意しなければならない。食客の素晴らしさを延々と説くシモンの言葉は、もちろんそれだけで十分に可笑しみを誘うものである。だが、真に注目すべきは、そのいっけん突飛な着想が、蓋を開けてみるときわめて模範的な——つまり「もっともらしい」——手続きによって論じられていくことではないだろうか。この捻りのある内容と古典的な形式の両立が、この諷刺作家の類まれな技量によってはじめて可能になっていることは、ここであらためて繰り返すまでもない。ともあれ、ひとまずこの前半部で、シモンは食客術が総体的にすぐれた技術であることをみごとテユキアデスに納得させる。そして続く後半部では、さまざまな技術のなかでもとりわけ人々の尊敬を集める技術、すなわち哲学と弁論術に対してすら、食客術がはるかに優越しているという内容が説かれることになる。

こちらは、前半よりも論旨が多岐にわたる。

まず、いささか驚くべきことながら、弁論術と哲学には肝腎の「土台」がないとシモンは言う。弁論術にも哲学にも、およそ共通の学説、すなわち土台というものがない。哲学であれば、ストア派、エピクロス派、アカデメイア派、というように、学派によってさまざまに異なる立場がある。同じく弁論術においても、あるひとつのテーマについて、その場にいる全員が完全な意見の一致をみることはない。ゆえに、哲学も弁論術も、人間が操るもっともすぐれた技術と言われるわりには、いずれも共通の土台が欠けているのである。これに対して、食客術はつねに一貫した方法に基づいている。食客術にストア派やエピクロス派のような教義の違いがあるはずもなく、その内実においても目的においても、かれらの姿勢はつねに一致している。それゆえ食客術は、哲学と弁論術のいずれにも劣らぬ技術であり、知恵であるということになる。

その次のくだりはさらに輪をかけて挑発的である。シモンは言う――「さてまず言っておかなきゃならんことですが、食客はいちどだって哲学を愛したことなんかありません。ところが哲学者のほうは、だれもがみな食客術に入れあげて、いまにいたってもこれを愛しているということになっています」[*12]。

食客は哲学者になりたいとは露ほども思わないが、哲学者はだれもが食客になりたがる。これに続けてシモンは、じっさい過去の誰それがどこそこの食客であった、という事実をひとつひとつ列挙する。なるほど、ソクラテスやディオゲネスのような、いかにも哲学者らしい奇人変人を除けば、哲学者もまたおのれの軀を養わねばならない。その意味で、かれらが現実に食客を憧れ、じっさいにそうして身を立てていたとしても、さほど驚くには当たるまい。

おおかたの予想通り、最終的に、議論はそれぞれの人生の相違にまでおよぶ。食客は弁論家や哲学者よりもよく生き、よく死ぬ。これが、対話篇『食客』の行き着くところである。

さて、食客の人生は弁論家や哲学者のそれとくらべてずっと良いものであることは確かですが、ではその死はより劣るものなのでしょうか。まったく反対であって、それははるかに幸福なものです。われわれの知るところ、哲学者はすべて、いやそのほとんどがひどい死にかたをしています。ある者は重罪を犯して捕まり、有罪宣告を受けて毒殺されていますし、またある者は身体全体を焼かれましたし、またある者は尿疾患で衰弱死し、またある者は亡命先で死にました。食客の場合、そのような死を言いたてる者は誰もいません。食べて、飲んで、このうえない幸せな死です[*13]。

傍らにいるものたち

　このような作品が書かれた時代背景について、さしあたり必要と思われる事実を補っておきたい。ルキアノスが生きたのは紀元二世紀の半ば、すなわちローマ帝国の最盛期である。この時期はいわゆる「第二次ソフィスト期」とも言われる。プラトンがかたくなに示したような「哲学者」対「ソフィスト」という図式はすでに一般的なものではなく、哲学の諸派もまた、ストア派やエピクロス派といった複数の思潮へと分裂、競合する段階にあった（これについては、同じくルキアノスの『哲学諸派の競売』という作品に詳しい）。哲学、そして弁論術に対するルキアノスのいささか冷めた視線は、かれの個人的な学問経験に由来すると同時に、そのような時代状況に支えられたものであったと言うことができる。

　そうした背景もあり、ここでルキアノスが揶揄しているのは、プラトンやアリストテレスのような「本物の」哲学者ではないということがしばしば指摘される。そして、おそらくそれは正しい。同じルキアノスの筆による作品――たとえば『哲学諸派の競売』や『甦ってきた哲学者』――の言い分を信じるなら、かれが作品で繰り返し揶揄しているのは、同時代の「偽物の」哲学者たちである。そのためルキアノスは、自分は哲学者たちの名誉を守ったかどで称賛される権利こそあれ、そのことで先人たちから攻撃されるいわれはまったくない、と――明らかに自分になぞらえた――登場人物に語らせてもいる。

ルキアノスの真意がいかなるものであれ、われわれにとって肝腎なのは、あくまで次の事実である。すなわち『食客』において、もはや「哲学」対「弁論術」あるいは「哲学者」対「ソフィスト」といったお決まりの対立は成立していない。そのどちらも、食客(術)に較べれば、さほど素晴らしいものとは言えないからである。すくなくとも文字通りに読むかぎり、ここで終始シモンが語っているのはそのようなことである。

ゆえにこの『食客』という作品には、たんによくできた諷刺ものであるという以上の、ある決定的な内容が含まれているように思われる。まず、すでに見たように、この作品そのものが、哲学および弁論術の見事な換骨奪胎であるということは大いに注目されてよい。つまり、そこではルキアノスが通暁する言葉《ロゴス》のわざがふんだんに用いられているのだが、そこで批判対象となっているのは、ほかならぬ言葉のわざである哲学や弁論術なのだ。しかも、そこで哲学者や弁論家よりも上位におかれているのは、通常かれらよりもはるかに賤しいものとみなされている「食客」なのである。その形式および内容のいずれにおいても、これは見事な価値転換であると言わねばならない。おそらくそこには、「哲学者」と「ソフィスト」という枠組みになおとらわれていたニーチェのそれよりも、はるかに根源的な価値転換の可能性が含まれている。

ゆえにルキアノスこそは、すでにある二項対立的な図式を突き崩す可能性を秘めた、不可視の他者としての食客をはじめてそれとして出現させた人物である――おそらくそのように言うことができるだろう。そこにおいて食客は、言葉と食事が出入りする特権的なトポスとしての口に、ある隠されたエコノミーが存在することを明るみに出している。それは、哲学者の影としてのソフィストに、あるいはその双方に取り憑いた、もうひとつの不都合な影である。

そこから導き出される操作概念としての「食客」について、ここでそのさまざまな可能性を列挙することもできるだろう。たとえば、同じ口を介して言葉と食事を交換する食客は、「言語の純粋性」というフィクションをごく即物的なしかたで暴き立てる。というのも、「食べ、話し、叫び、歌う」器官である口においては、純粋な分節音からなる発話行為が――時にはげっぷやしゃっくりによって――妨害される可能性がつねに控えているからだ。[*14] あるいは、ここまでルキアノスに即して見たことをさらに発展させて、哲学的言説に取り憑いた悪霊《ダイモーン》としての食客、という進路に舵を切ることも十分に可能だろう。[*15]

ここから、われわれはどこにむかうべきか。唇から唇へ、その端から端へ、かりにその酷薄な線をたどっていくとして、われわれはその航路をどこに見いだすべきなのか。いまの段階でひとつ言えることがあるとしたら、もっかわれわれが試みている食客の系譜学は、この「食客」という形象を、ただ歴史的に追跡する作業に終始すべきではないということだ。すでに先立って懸念を示しておいたように、それは、食客をあらかじめ飼いならされた「キャラクター」へと封じ込めてしまうリスクと背中合わせだからである。

われわれが目をむけるべきは、食客のように「傍らに」いるもの、あるいは「境目に」いるものたちの群れである。われわれの認識の網目を逃れる、ふだんは目に見えない存在者。あるいはさまざまな理由から、目に見えないものとされている無数の存在者——そのありうべき姿を、われわれは歴史のいたるところに見いだしていくことができる。

さらにおずおず踏み込んで言うと、そこには人間でありながら、およそ人間であるとはみなされてこなかったものたちも含まれる。もちろんそうした人々は、歴史を振り返れば無数にいる。しかし、ルキアノスの生きた最盛期のローマ帝国では、その存在がはっきり認知されていながら、あえて人間というカテゴリーから積極的に排除されたものたちがいた。

それは「海賊」である。かれらもまた、ある意味では食客と同じく、「人間」と「人間ならざるもの」の境界におかれたものたちであった。次に、われわれはキケロの義務論から出発して、古代ローマにおける「人類の敵」たる海賊の特殊なステータスを明るみに出すことにしよう。

第五章

海賊

共同体《コミュニティ》とは何か。それは、わたしたちの社会における排除と包摂の諸相を根本から問おうとするなら、およそ避けて通ることのできない問題である。もちろん、あらゆる共同体に当てはまる、唯一にして不動の定義を与えることなど、もとより不可能であると言ってよい。だがすくなくとも、この――外来語としての――「共同体」という言葉のなかに、あるべつの語彙をみとめることはできる。それが「義務」である。

前章で、われわれはルキアノスの『食客』という対話篇を導きとし、哲学者とソフィストの対立を突き崩す、第三の人物としての「食客」について論じたところであった。哲学者と、その他者としてのソフィスト――こうしたわかりやすい対立にはいかなる場も占めることのない、二重の影。それこそが食客である。わたしたちの「口」を主要なトポスとして、飲食、性愛、言語を行きつ戻りつしながら論じてきたのは、つまるところ、そうした中間的な他者の表象にほかならない。繰り返しになるが、それはだれの目にもわかりやすい絶対的な他者、すなわち「敵」のことではない。かといってそれは、いつも心許せる「友」でもない。われわれがまなざそうとするのは、その双方の存在様態を兼ねそなえた、どちらともつかぬ者たちの群像である。

そのことを言ったうえで、ルキアノスの『食客』が書かれたローマ帝国において、人間たちの共同体がいかなるしかたで構想されていたのか、その枢要を見ておいてもよいだろう。われわれにとって、そのもっとも適切な導きとなるのが、政治家にして文人であったキケロ（前一〇六‐前四三）の『義務論』である。

これから詳しく見ていくように、同書は、この時代における共同体のエートスをもっともよく伝えてくれる書物のひとつである。現代思想でもしばしば話題となるところだが、ラテン語および西洋諸言語のほとんどは、いわゆる「共同体」について、どれも似たような語義を持っている。それは「義務」を分かちもつという意味である。英語の「コミュニティ」にしてもそうだろう。その由来であるラテン語の「コムニタス（communitas）」には「ムヌス（munus）」という言葉が含まれている。そしてこの義務《ムヌス》こそ、共同体を成り立たせるために不可欠な第一の要素なのだ。

人類の共同体

『義務論』（あるいは『義務について』）は、息子マルクスへの書簡という体裁をとった、キケロ最晩年の著書である。全三巻からなるこの書物は、紀元前四四年の一〇月から一一月にかけて、ほぼ一ヵ月のうちに書きあげられた。ここにはいくつかの複雑な事情が絡み合っている。本来ならこの父親は、当時アテナイに留学中だった息子のもとを訪れているはずだった。しかし同年三月一五日のカエサル暗殺以来、大いなる政争に巻き込まれることになった大キケロは、ついにはアテナイ訪問を断念し、かわりに本書を小キケロに残した。この文人政治家が、政敵マルクス・アントニウスの放った刺客により殺害されるのは、翌・前四三年のことである。

さて、そのキケロの『義務論』は、弁論術に長けたこの人物が残した「哲学」の書として、後世においてもっとも高い評価を受けてきたものである。キケロは、二二歳になったばかりの若き息子に対し、その年齢に照らして「もっとも適切な」話題から始めたい、と語りかける。それこそが「義務(officium)」の問題であった。

今回、いくばくかのことをおまえに書き送ろうと決心するにあたって、まずわたしは、おまえの年齢にとっても、わたしの権威に照らし合わせても、もっとも適切な話題から始めたいと思った。というのも、哲学には重要かつ有益な問題が数多くあり、それらは哲学者たちによって精密かつ十分な議論が重ねられているが、なかでももっとも適用範囲が広いと思われるのが、義務についてかれらが教えを授けてきた問題だからである。人生のいかなるときであれ、公私、家の内外を問わず、ひとりで事を起こすにせよ、他人と契約を交わすにせよ、義務をなおざりにすることはできない。義務を大切にすれば、人生のすべては立派なものとなり、それを軽視すれば、人生は恥ずべきものとなるのだ。[*1]

同書でキケロが言う「義務」とは、今日のわれわれが想像するものとそう大きくは変わらない。それはわたしたち一人ひとりが内心において、あるいは他人との交わりにおいて課せられている一連の事柄である。そこには、法によって定められた義務はもちろんのこと、社会のなかでわれわれが従うべき規範や、他人と交流するうえで守るべき道徳なども含まれる。[*2]

ところで、はじめの問いに戻ると、今日における「共同体」という語彙のなかには、まさしくこの「義務」という言葉の痕跡がはっきりとみとめられるのだった。その「ムヌス（munus）」には「義務」のほかに「贈与」といった意味もあり、厳密には「オッフィキウム（officium）」と同一の単語ではない。しかし『義務論』のキケロがしばしば後者に加えて前者を用いていることから、さしあたりここではその二つの違いについては不問とする。

キケロはこの「義務」という概念をもとに、人間の共同体をいわば同心円状に広げる。われわれ人間は、義務にもとづく大いなる絆で結ばれている。いわく、そのもっとも小さな絆は家族の絆であり、その周囲には親族の絆、故郷を同じくするものたちの絆、そして国を同じくするものたちの絆が広がっている。そして、ほかのあらゆる政治家と同じく、キケロにおいても、そうした同胞たちを束ねるもっとも強い絆こそ「国家」にほかならなかった。国家という共同体《コムニタス》は、まさしくそこに属する一人ひとりが「義務」を「共に」することによって成り立っているからである。

［……］あらゆる社会的連帯のなかで、もっとも重要かつ大切なのは、国家とわれわれ一人ひとりが結ぶ関係である。両親は大切である。子供、親族、友人もまた大切である。しかし、あらゆる人々が大切に思うそのすべての関係を、祖国はたったひとつで包括している。良識ある人々のうち、いったいだれが祖国のために死地に赴くことを躊躇するだろうか。いったい、それによって祖国の役に立とうとしないということなどあろうか。それだけに、いっそう忌み嫌うべきはか

の連中である。すなわち、罪のかぎりを尽くして祖国を傷つけ、祖国を根こそぎ破壊することにかつて専心し、かつ今も専心している連中の極悪さである。*3

こうした一節を目にしてしまうと、キケロにおける共同体とは、つまるところ国家をその理想的なモデルとし、それを異にするものたちをそこから弾き出すような、きわめて排外主義的なものにも見えかねない。

だが、その実態はまったく異なる。ここでキケロが構想する「絆」は、最終的には国家という枠にすら収まらない。というのも、われわれがひとたび国の外へ出れば、そこではさらなる交わりが生まれ、その必然としてまた新たな人間どうしの絆が生じるからだ。キケロによると、われわれ人間を結びつけるのは「理性（ratio）」と「言葉（oratio）」であり、それは国境によって隔てられるようなものではない。これを言いかえれば、キケロが構想する人間の共同体は、理性と言葉を共にするかぎりにおいて、無限にその外へと広がっていくのである。

わけても注目すべきは、この絆が、交戦状態にある「敵」どうしをも結びつけるものであることだ。ここまでの言葉づかいを踏襲して言うなら、人はおのれを殺そうとする目の前の敵とすら、あるひとつの絆で結ばれている。これを担保するのも、やはり「理性」と「言葉」である。たとえ、ある国家や集団どうしが何らかの理由で敵対することになったとしても、その戦争はあくまで信義にもとづいてなされる。そのかぎりにおいて、敵もまたわれわれと同じ人間である。それゆえ、この敵とのあいだに交わした約束は、友との約束と同じように守らねばならない——キケロはそのように考える。

また、たとえある人が状況に引きずられて敵に約束してしまったことでも、信義は守られねばならない。たとえば、第一次ポエニー戦役のとき、カルタゴの捕虜となったレグルスは、捕虜交換交渉のためにローマに送られるに際して、あとでその場に戻ってくることを誓約した。そこでレグルスはローマに着くと、まず元老院で捕虜返還に反対の意見をのべた。次いで、親族や友人たちに引きとめられると、むしろ処罰を受けに戻ることを望み、敵と交わしたものとはいえ、おのれの信義に背こうとはしなかった。[*4]

こうした議論から、おそらく人は次のような印象を抱くのではないだろうか。すなわち、キケロの構想する人間たちの共同体に、厳密な意味での「敵」は存在しない。たとえ一時的に交戦状態にあったとしても、目の前の敵はあくまでも相対的な敵にとどまる。げんにこの政治家は、人間社会のさまざまな段階を分節するにあたり、その外延をしばしば「人類の広大なる絆(immensa societate humani generis)」という表現によって縁どっていた。[*5] キケロの義務論がわれわれに教えるのは、こうした「人類の絆」にもとづく、ひとつの理想的な共同体の姿である。

海賊との約束

ところで、ここまで読んできた『義務論』の内容は、かならずしもキケロひとりの考えというわけではない。げんにこの文人政治家は、わずか一ヵ月のうちにこれを執筆するにあたって、先行するパナイティオス（前一八五‐前一〇九頃）の義務論を下敷きにしたと繰り返し明言している。このパナイティオスの書物は失われており、そのため厳密な対照は不可能だが、とくに第一、二巻についてそのことは明らかである。とはいえ、言うまでもないことだが、その見事さはペトラルカも感嘆したキケロ一流の美文にあるのであって、以上の事実が同書の価値を貶めることはいささかもない。

そのキケロが、パナイティオスが十分に論じていないことがあるとして、みずからの考えを開陳したのが第三巻である。キケロによれば、具体的にパナイティオスが論じていないのは次のことである。すなわち、ある行為に際して「徳性」と「有益性」が衝突するとみえる場合、われわれはそれをどのように考えるべきか。つまり、ある行為において有徳であることと有益であることが相反するように見えた場合、われわれはそのどちらを優先すべきか――これこそ『義務論』を締めくくる第三巻において、キケロが是が非でも論じようとした事柄であった。

そしてここには、われわれにとって見過ごすことのできない、ある重要なくだりがある。それは、第一巻、第二巻においては影をひそめていた絶対的な敵が、その姿をかいま見せる次のような一節でである。

同書の終盤、キケロは徳性と有益性をめぐる一連の議論のなかで、あらためて「誓約」について論じている。第一巻においてこの政治家は、たとえ敵とのあいだに交わした約束であっても、それは断固として守られねばならないと言っていた。かたや第三巻において、ふたたび誓約の意義を力説するキケロは、いささか唐突に、そこにある例外がみとめられることを指摘する。その例外とは「海賊とのあいだに交わされた約束」である。

戦争にも法があり、敵とのあいだに誓約を結んだ場合の信義が守られねばならないことも多い。誓約にあたり、精神がそのようになされるべきだと了解したとおりに誓われたのなら、その誓約は守られねばならない。しかしそうでない場合には、これを履行せずとも偽誓ではない。たとえば海賊に対して、命と引き換えに合意した見返りを届けなくとも、それは欺瞞とはならない。たとえ宣誓したうえでそのようにしなかったとしても、である。というのも、海賊は法にかなった敵の数に入るのではなく、万人共通の敵だからである。このような者たちとは、いかなる信義の言葉も誓約も交わすべきではない。[*6]

それまでいかなる人間も排除することのなかった「人類の広大なる絆」が、ここにいたってひとつの例外を設ける。それが「海賊(pirata)」である。たったいま見たように、たとえ敵とのあいだに交わしたものであっても、その約束は守られねばならない。しかし、万が一その敵が海賊であるとしたら、その誓約はただちに無効となる。なぜなら海賊は、ここで言われる「敵」の数に含まれることがないからだ。それは、同じ人間の共同体を構成する戦敵よりもさらに遠くにいる、極めつけの敵である。

さて、ここで問題なのは、なぜ海賊が「万人共通の敵」とみなされねばならないのか、ということである。論理的に考えるなら、それはもっかの主題である「義務」に関わっているとみなすのが、おそらくもっとも自然な推論だろう。海賊は、われわれ人間が分かちもつ義務の円環の外にいる。ゆえに、海賊は人間ではない。これが、キケロの『義務論』から導き出されるひとつの論理的な帰趨である。とはいえ、それだけでは疑問は解消しない。というのも、そのような説明だけでは、なぜ海賊がわれわれと同じ義務を分かちもつことがないのか、という肝腎のことが明らかにならないからだ。

人類の敵

この疑問に応じるべく、いったん議論の射程を広げよう。

そもそも、ここで言うところの「万人共通の敵（communis hostis omnium）」という海賊の身分は、古代ローマの外交法に照らしてみても、じつはなんら特殊なものではない。事実、海賊とはそうしたものであったからである。そして、これがのちに「人類の敵（hostis humani generis）」という類似した表現へと転じ、それがいつしか国際的なテロリストを形容するものとなっていったことは、現代のわれわれもよく知るところである。したがってかれら海賊こそ、「人類の敵」として国際法の世界に君臨してきた、そのもっとも古き形象にほかならない[*7]。

おそらくここに、さきほどの問いを解消するためのひとつの鍵がある。なるほど、海域で略奪をはたらく海賊行為には、むろん残虐非道なところもあるだろう。しかし、これまでにもたびたび指摘されてきたように、海賊が「万人共通の敵」とみなされるにいたったその理由は、たんにその非人道性にあるのではない。問題の核心はむしろ、陸地に定住する「われわれ」と、海上を漂う「かれら」を隔てる、その存在様態の違いにこそある。さきほどふれたローマの外交法にかぎらず、およそあらゆる国際法は、国家に帰属する領土すなわち「陸」に紐づいている。これに対し、もっぱら「海」に生きる海賊は、長らくこれらの法の適用外にあった。海賊がわれわれと同じ義務を分かちもつことがないというのは、端的に言って、かれらにわれわれと同じ法が適用できないということである。

だとすると、そこから導き出されるのは、おおよそ次のようなことであろう。海賊が「万人共通の敵」とされてきたゆえんは、その行為の残虐性や非人道性に（のみ）あるのではない。その行為内容とはさしあたり無関係に、かれらが文字通りの法-外な人間であったことが、キケロの言葉をその背後から支えている。すくなくとも『義務論』において、ひとり海賊のみが「人類」の環から弾かれるということに、それ以外の合理的な理由を見つけ出すことはむずかしい。

にもかかわらず、海賊（行為）のもつ法-外な性格は、時代とともに、たんに「人道にもとる行為」

の別称へとなり果てていった。それは、ここで殊更に言い立てるまでもなく、過去のさまざまな歴史的文書によって証明しうることである。また、いっぽうで海賊は――それがたんなる比喩表現にすぎないとしても――空域やサイバースペースへと、やがてその行動範囲を拡大していくことになるだろう。[*8]

これら一連の問題を考えるうえで、まず何を措いても参照すべきはカール・シュミット（一八八八－一九八五）の議論である。この法学者は、一九三七年九月一一日のニヨン会議、通称「(反)海賊会議」の協定書が公にされると、すぐさまこれにただならぬ反応を示した。このニヨン会議の直接的なきっかけは、一九三六年七月に勃発したスペイン内戦である。この戦争が始まってからというもの、イベリア半島周辺では、潜水艦がスペイン沿岸の商船を狙い撃ちするという出来事がたびたび起こった。その経緯はかならずしも詳らかではなかったが、状況を見れば、これがスペインへの物資の流れを断ち切ることを目的とした攻撃であることは明らかだった。この野蛮な行為を問題とみたイギリス・フランスの両国は、地中海周辺の関係各国を招き、ニヨン（スイス）で国際会議を開いた。その開会から三日後、九月一四日に締結された協定書の前文には、次のような文言が見られる。

スペイン紛争の勃発に起因して、地中海では紛争中のスペインのいずれの陣営にも属さない商船に対し、潜水艦による攻撃が繰り返し行なわれている。これらの攻撃は、一九三〇年四月二二日のロンドン条約第四部で言及されている国際法、すなわち商船の沈没にかんする国際法の規則に違反しており、人道のもっとも基本的な指令に反する行為である。ゆえにこれは、正当に海賊行為［acts of piracy］として扱われるべきものである。[*9]

シュミットが問題としたのは、まさしくこの前文の内容であった。そもそも、国際法上の「違法行為」に相当するくだんの事由が、「海賊行為」と同一視されることなどあってはならない。なぜなら――当たり前のことだが――「国際法における違法行為」をなしうるのは、国際法の主体であるところの国家に属するものだけだからである。かたや「完全なる非国家性のうちにある海賊は、たんに国際法的に拡張された国家の権力範囲のなかに迷い込んでくる」存在にすぎない。ゆえに、潜水艦による商船への攻撃を「海賊行為」とみなすのは、「海賊」という言葉のたんなる濫用にすぎない、というわけである。[*10]

この「海賊行為の概念」（一九三七）という短い論文が、ニヨン会議という具体的な出来事への反応として書かれたことは、むろん気に留めておくべきだろう。それでもシュミットにとって、「海賊」をめぐる一連の議論はけっして些末なものではなかった。なぜならそれは、みずからの政治哲学を支える「敵」という概念の根幹に関わるものだったからである。

まずは「海賊行為の概念」に即して、シュミットの立場を簡単にまとめておこう。従来の国際法において、海賊が「人類の敵」とみなされてきたのは、海賊の「一般的敵対性」にあると考えられるのが常であった。すなわち海賊の略奪は、その船舶がどの国家に帰属しているかにかかわらず、あらゆる人間にむかう。そして、ほかならぬその無差別性ゆえに、海賊は「人類共通の敵」とみなされてきた――これが、海賊行為をめぐる、シュミットの基本的な認識である。つまり、ここでも肝腎なのは、問題が海賊行為のもつ「残虐性」や「非人道性」にあるのではないということだ。[*11]

他方、シュミットは「人類（Menschheit）」なる概念に対して、生涯を通じて批判的な姿勢を崩さなかった。なぜなら、その言葉の定義からして、「人類」がこの地球に真なる敵をもつことはないからである。『政治的なものの概念』（一九三二）でものべられていたように、「人類という概念は、敵という概念とは相容れない」のである。[*12]

このことは、たとえば次のように敷衍できるだろう。なるほど、過去を振り返ってみれば明らかであるように、ある国から国への宣戦布告において、「人類の敵」や「人類の戦争」といった言葉が発せられることはあったし、おそらくこれからもあるだろう。だがシュミットが言うように、その言葉がいかにもっともらしいものであろうと、それは特定国家による「人類」概念のレトリカルな奪取以外の何ものでもない。それこそまさに、二〇〇一年九月一一日の同時多発テロ発生以来、われわれがたびたび目撃してきたことではないだろうか。同じく『政治的なものの概念』で言われているように、ある意味で「人類」なる概念は、「さまざまな形態の帝国主義」にとって不可欠な「イデオロギー的道具」にほかならないのである。

われわれは、このシュミットの議論を、ほかならぬキケロに差しむけることもできよう。キケロは「人類の敵（hostis humanis generis）」という表現こそ用いていないが、先にも見たように、そこで登場する「万人共通の敵（communis hostis omnium）」というレトリックこそ、まさしくその雛型に相当するものだったからである。

シュミットが「人類」概念をしりぞけるのは、あくまでその理論の要請にしたがったものであって、それをこの桂冠法学者の個人的な思想に結びつけることは誤っている（というよりむしろ、こうした「人類」をめぐる諸々の事柄こそ、シュミットが加担したナチスのイデオロギーに親和的なのではないだろうか）。「政治的なもの」の核心が友・敵の対立にあると信じるこの人物にとって、「人類」概念とともにこの地上から「敵」が消失するという事態は、理論的におよそ許容しかねることであった。シュミットが「人類」なる概念に繰り返し攻撃をしかける理由は、それ以上でもそれ以下でもない。その定義からして、この地球に「人類」の敵はいない。かりにいるとすれば、それはもはや人間ならざる「絶対的な敵」であるほかない。だがしかし、そのことは逆説的にも、目の前の現実的な敵の消失を意味することになるだろう。「現実の敵は、絶対的な敵であると宣言されることはないし、さらに人類一般の究極の敵であると宣言されることもない」[*13]。ゆえに「人類」と「絶対的な敵」との対立が、現実的な友・敵の対立を核心とするシュミットの理論と折り合うことはないのである。

友敵の政治

われわれの目から見て、シュミットの政治理論に修正すべきところがあるとするなら、それは友敵の対立を際立った——すなわち両極的な——ものへと煎じ詰めようとする、その基本的なスタンスにある。シュミットいわく、政治的な対立は、友・敵それぞれの結束が強まれば強まるほど、いっそう政治的なものとなる。これに対して、われわれが日常的に用いる「政治」という言葉のなかには、いわばここから派生した「二次的な」ものがいくらでもある。たとえば、国家間ではなく、国内のさまざまな政策を語るときに用いられる党派的な「政治」などがそれである。われわれは、そうした具体的な国内政策も含めてこれを「政治」とよぶことに慣れきっているが、シュミットにとって、これらはあくまで「二次的な概念」としてそのように言われるにすぎないのである。

シュミットによると、さらにこれが薄められたのが、大小さまざまな術策、競合、陰謀などについて言われる「政治」という言葉づかいである。いわく、それは「弱められ、寄生的な、もの[Parasitären]」ないし戯画的なものへと転じた「政治」政治の諸形態である。[*14] つきつめると、現実的な「抗争」の契機を欠いた場面において用いられる「政治」という言葉は、いかなるものであれ、その本来の意味からはるか遠いところにある——これが、シュミットの言い分である。

しかし、われわれが疑うべきはまさにこのような「政治」の見かたである。なるほど、友と敵がするどく対立するのが「真に」政治的な場面であり、そうでないものは「二次的」ないし「寄生的」であるというのは、この法学者からすれば明白なことなのだろう。というのも、政治的な領域における「友と敵」は、道徳的な領域における「善と悪」、美的な領域における「美と醜」などと同じものに相当するというのだから。しかし、われわれの——「共-生」ならぬ「寄-生」を土台とする——現実的なものの見かたは、こうした政治観とはまったく合致しない。むしろ、シュミットが苦言を呈するようなさまざまなレベルの競合、術策、陰謀が大小さまざまなしかたで織り合わせられることによって、わたしたちの周囲の「政治的なもの」は構成されていないだろうか。言葉をかえるなら、シュミットが「寄生的なもの」ないし「戯画的なもの」とよぶ微小な「政治」の場面をまなざすことによってのみ、政治的なものをめぐる諸々の現実は、その真なる姿をあらわすのではないだろうか。

海賊になること

ここまでの議論を踏まえ、最後にキケロの義務論に戻ろう。いまやわれわれは次のように言える。「理性」と「言葉」にもとづくキケロの共同体は、つまるところ「この」大地においてのみ成立しうる。かたや、自由な空間《ラウム》たる「あの」海を股にかける海賊は、たとえ「理性」と「言葉」を共にしていようとも、陸地にいるわれわれと義務を共にすることはない。ゆえに、その法的な身分に鑑みて、キケロは海賊を「人類の広大なる絆」の彼方に追放したのである。

とはいえ、キケロが考えるところの「絆」が「信義」に基礎をおいているということは、人間たちの共同体にある深刻な不安を残すかもしれない。キケロの言葉の後半を、ここであらためて見ておこう。

たとえば海賊に対して、命と引き換えに合意した見返りを届けなくとも、それは欺瞞とはならない。たとえ宣誓したうえでそのようにしなかったとしても、である。というのも、海賊は法にかなった敵の数に入るのではなく、万人共通の敵だからである。このような者たちとは、いかなる信義の言葉も誓約も交わすべきではない。

米国で比較文学を講じるダニエル・ヘラー＝ローゼンは、慧眼にもこの一節に着目し、そこで海賊が「万人共通の敵」とされる理由がどこにも記されていないことを指摘した。これについては、ここまでしばし言葉を費やしながら見てきた通りである。あらためて繰り返すなら、それは海賊の法的な身分に関わっている、ということでさしあたりの合意は得られるように思う。

しかしよくよく考えてみると、ここにはもうひとつ問題がある。それは、ここでキケロが「海賊」という言葉によって示している対象が、そもそも明らかではないことだ。結局、海賊とはいったいだれのことなのか。大キケロはあえて明示の必要なしと考えたのか、それをうかがい知るための外的な形容や特徴が、ここにはいっさい欠けている。

すると途端に問題含みとなるのが、この最後の命令文である。「このような者たちとは、いかなる信義の言葉も誓約も交わすべきではない（cum hoc nec fides debet nec ius iurandum esse commune）」――普通に読むなら、これは海賊たちとのあらゆる約束を禁じる命法にすぎず、そこに悩むべき部分はまったくないようにも思える。しかしこの一文が示唆するのは、もし万に一つ、海賊となんらかの約束を交わすなら、われわれもまた同じ穴の狢《むじな》になるだろうということだ。しかもキケロの言にしたがうかぎり、海賊とはわれわれと義務を分かちもつことのない、信義を欠いた「何ものか」であるという以上のことはまったくもって不明なのである。

ここからは、おいそれとは受け入れがたいひとつの事態が導かれる。すなわち、たとえその見かけがいかに人間らしいものであろうと、ある人物が「われわれ」といかなる義務も分かちもつことがないとしたら、もはやそれは人間ではない。なぜなら、そのとき当該の人物は海賊になっているからだ。それだけではない。ひとたびそうした人間と誠実な約束を交わすなら、そのことによって当の「われわれ」もまた人間ならざるものに、すなわち海賊になる。[*15]

キケロの『義務論』がひとつの論理的可能性として示すのは、こうした「信義を欠いた」契機において、わたしたちが、いついかなるときも「海賊になってしまう」ということである。なおかつそのような海賊とは、海の彼方で漂う「絶対的な他者」ではなく、われわれのすぐ隣にいる「中間的な他者」としてその姿をあらわすだろう。そのとき、もはやそれは「万人共通の敵」ではなく、われわれの「内なる敵」としてその姿を新たにするだろう。たとえば、第二次世界大戦後のシュミットが『パルチザンの理論』(一九六三)で言うように、

敵とは、なんらかの理由から除去されねばならないところの、またその無価値のために殲滅されねばならないところのものではない。敵は、わたしのなかにいるのである。それゆえにこそ、わ

たしは自己の基準、境界、形成を得るために、敵と闘争しつつ対決しなければならない。[*16]

むろん、この「内なる敵」というレトリックが、ある共同体のなかにいるさらに絶対的な敵を指弾するものとならない保証はどこにもない。ゆえに問題は、その敵が「どこに」いるのかを突きとめることにあるのではない。むしろ、われわれがいつであれ「内なる敵」に侵食されているのだとしたら、それは究極的にはいかなる場ももつことはない。

シュミット的な「絶対的な他者」とは異なる「中間的な他者」は、友と敵の、陸と海の、此岸と彼岸の、ようするに「ここ」と「よそ」のあいだにいる。つまるところそれは、おのれの意のままに変転をかさねる「食客」の存在様態と、原理的に異なるところはまったくない。たとえ食客としてのわかりやすい特徴を欠いていたとしても、「ここ」と「よそ」の境界をたえず踏み越えるものであるなら、それはわれわれが論じている食客《パラサイト》の範疇に問題なく含まれうるはずである。

そう、たとえばそれはこんな人物ではないだろうか。あるとき海賊に捕えられ、奴隷として競売にかけられながら、みずからを主人としてポリスに舞い戻ってきた人間――あるときは「犬」とよばれ、またあるときは「狂ったソクラテス」とよばれた、孤高の哲学者ディオゲネスである。

第六章

異人

ここまでわれわれが論じてきた食客とは、いわゆる「不審者」とも相通じる存在であるように思われる。繰り返しになるが、ここでいう食客とは、友でもなければ敵でもない、ある中間的な他者のことである。さらに前章において、われわれはキケロとシュミットに抗して、古代ローマ以来の「海賊」という形象もまた、そうした「中間的な他者」のうちに含めてきたのであった。それは、伝統的に「絶対的な他者」として表象されてきた海賊をその軛《くびき》から解放し、それをわれわれの内なる——あるいはむしろ、内と外の境界にいる——他者として構想する試みであった。つまり、内にいるのでもなければ外にいるのでもない、ある近傍の存在者として。

これら曖昧な形象は、今日であればいっそ「不審者」と言ってしまったほうが、むしろ耳馴染みがいいかもしれない。げんに、ふだんわれわれが不審者とみなすのは、空間的にはおのれに近接していながら、それとわかる明白なアイデンティティを欠いた胡乱な人間のことであろう。それは「排除された、もしくは包摂を拒むようなアウトサイダー」ではなく、われわれのすぐ傍らにいる「不気味な隣人」のことである。[*1] おそらくだれもがみとめるように、通常そう言われるところの「不審者」は、われわれの社会のいたるところで目撃され、あるいは警戒され、場合によってはしかるべき機関に報告されている。だが、そもそも不審者とはだれのことなのか。すこし考えてみればわかるように、かれら不審者を不審者として同定しうるような、共通の特徴など存在しない。あなたが任意の人物を不審者とみなすとき、そこで照らし出されるのはむしろ、当該の人物を不審者とみなす、こちらの認識の枠組みのほうであろう。いささか身も蓋もない言いかたをすれば、ある人物が不審者であるかどうかの境目は、ひとえに「時と場合による」というほかない。あなたも、わたしも、時ところ変われば、すぐさまだれかにとっての不審者へと転じる。

われわれが「共 - 生」ならぬ「寄 - 生」とよぶものについても、これとほとんど同じことが言える。世にいう「共生」という口当たりのよい言葉は、そこに存在するはずの不均衡や不平等を、時に覆い隠してしまうことがある。だからこそ、われわれはここで──「共生」ならぬ──「寄生」という言葉を枢軸とする、あらたな共同体の姿を構想しようと試みたのだった。そうした広義の「寄生」の根幹にあるのは、「寄生するもの」と「寄生されるもの」との非対称的な関係である。あらゆる食客《パラサイト》は宿主の存立を前提とするが、この両者の関係はなんら固定的なものではなく、ひとたび異なる状況のもとにおかれれば、各々の立場はまたたく間にひっくり返る。われわれの現実的な生の様態は、AからBへの、BからCへの、CからDへの……という連鎖的な寄食構造にもとづいている。いかにおのれが「自立的な」主体であると強弁しようと、このモデルの場合、周囲から完全に自立した主体というものが、そもそも成り立ちえない。われわれは、つねになにものかに寄生しつつ、おのれの軀を養っている。その反対もまた然りであり、われわれの軀はごく即物的な意味で、ほかのさまざまな生き物に寄生されている。そのことは、たとえば「持ちつ持たれつ」といったよくある言い回しによって、日常的にも意識されていると言えるかもしれない。しかしながら、そうした穏当な言い回しが、ここで問題としているような現実と合致することはけっしてない。なぜなら、われわれはそうした全面的な寄生関係を意識するはるか前に、そのような関係を生きてしまっているからである。

ソクラテスと食客

紀元前五世紀のエーゲ海周辺――アテナイやスパルタをはじめとする当時の主要な都市国家――にも、むろん不審者なるものは存在したはずだ。これまで見てきた古代ギリシア・ローマにおける食客の系譜学をいったん締めくくるにあたり、最後に二人の人物を取り上げたい。それは、以前にも登場ねがったソクラテス（前四七〇－前三九九）と、それに劣らぬ数多くの伝説によって知られるディオゲネス（前四〇四？－前三二三）である。

ソクラテスとディオゲネス。この二人を並べて論じる理由には、じっさいのところ事欠かない。まず基本的な事実として、両者ともに、本人の書きものはいっさい残っていない。あまりによく知られたことではあるが、ソクラテスは生前なにひとつ書物を残すことなく、アテナイ市中で人々に問答をふっかけ、ついには若者をたぶらかした罪で死刑を宣告された。他方のディオゲネスの場合、生前の業績には諸説ある。三世紀前半に執筆された『ギリシア哲学者列伝』には、ディオゲネスは『富について』や『死について』をはじめとする数々の書物を残したという記述がある。しかしそうかと思うと、その直後の異説では、ディオゲネスもソクラテスと同様、いっさい書物を著すことはなかったと書かれている。[*2]いずれにせよ、かりにディオゲネスがなにがしかのことを書き残していたとしても、すくなくとも今日のわれわれがそれを読む手立てはない。

また第二の事実として、ソクラテスとディオゲネスがともに、デルポイの神殿でおのれの運命を決定づける神託を賜っていたということが挙げられる。これもよく知られた言い伝えであるが、「ソクラテスよりも賢い人間はいない」という神託を人づてに聞いたソクラテスは、アテナイ市中で問答法を開始し、いわゆる「無知の知」の自覚へと至る。これこそ、以来二五〇〇年以上にわたり続く、西洋哲学史のひとつの始まりをなすエピソードにほかならない。かたやディオゲネスは、同じくアポロンから「国家に流通するものを変造せよ」という不可思議な神託を授かり、後述する通貨変造に手を染めたとされる。それにより、ディオゲネスは故郷シノペを追放され、アテナイに流れてキュニコス（犬儒派）の哲学者となった。これら「問答法のソクラテス」と「犬のディオゲネス」が、いずれもその書きものではなく、その社会的な振る舞いにより記憶されることになったというのも、奇妙な符合である。

　こうしたソクラテスとディオゲネスの鏡像関係は、これまでにもつとに指摘されてきた。かのプラトンが、ディオゲネスのことを「狂ったソクラテス」と言ったというのも有名な話である。[*3]いわばこの二人は、紀元前四、五世紀のアテナイにおける、哲学の二つのパラダイムを体現する存在なのだ。

　ところで、はじめにものべたように、われわれがここで問題としている「不審者」とは、いわゆる（類型的な）不審人物のことではない。それは、おのれの不確かなアイデンティティによって、ある空間を支配しているさまざまな法をかき乱しにやってくる、そのような効果《エフェクト》をもった人間の総称である。それをなるべく日常的なまなざしのもとで捉えるために、まずはポリスという公共空間ではなく、いまもふつうにあるような限られた範囲の集会——たとえば宴会《シュンポジオン》——に目をむけてみたい。
それは、たとえばこんな光景である。外敵との戦争に勝利した将軍が盛大に祝杯をあげるべく、その場を共にするにふさわしい人々を宴に招待する。かれら招待客はもちろんのこと、連れ立って参加するその家族や友人も、とうぜん数に入れておかねばならない。とはいえ、数人の気心の知れた友人どうしならばともかく、それなりに大きな規模の酒宴となれば、そこにいくらか「不審な」人間が紛れ込むことは避けがたい。そうした食客の原型とも言える人物を、われわれはプラトンの『饗宴』のなかに見いだすことができる。俗にいう「招かれざる客」であるところのその人物は、のちの伝記作家プルタルコスによって「影（σκιά）」と称される。それは、いくぶん規模の大きな宴会の「招待客」の種類についてのべた、『食卓歓談集』のある一節に登場する。

他方、われわれが影法師《スキアー》とよぶたぐいの招待客は、招待主が招いたのではなく、ほかの招待客のお供として宴会にやってくる人々のことである。さて問題は、この慣習がいつから始まったのかということだが、ある人々が言うには、これはソクラテスから始まったとのことである。つまり、ソクラテスがアガトンのところに行くさいに、招待されていないアリストデモスを誘ったのが、その始まりだというのである。そしてアリストデモスは、ある愉快なことにぶつかった。道中、彼はソクラテスが後ろに取り残されてしまっていることに気づかぬまま、アガトンの家にやってきた。つまり、彼は影法師を地で行ったわけだ。というのも、光が後ろから射すとき、影はおのずと身体の前を行くからだ。[*4]

他人にくっついて宴会にやってくる、そのような人物をプルタルコスは「影」とよんだのだった。むろん、ここで書かれているように、そうした「招かれざる客」が当の宴会を大いに盛りあげてくれるとなれば、招待主も喜ぶこと請け合いである。その始末も含め、ここでソクラテスのお供としてアガトンのもとにやってくるアリストデモスこそ、われらが食客の遠い祖先である――あるいはそのように言えるかもしれない。通常、われわれがプラトンを通して知るソクラテスは哲学の産婆であるが、プルタルコスを通して伝えられるこのソクラテスは、むしろ食客の産婆である。

われわれはすでに第四章において、哲学者ソクラテスとその影としてのソフィストについて、ひと通りのことを論じておいた。簡単にその概要を振り返っておくなら、そこでは「哲学者」対「ソフィスト」というお決まりの対立を突き崩すための第三者として、われらが「食客」をそのいずれでもない場に定位したのであった。もっぱらソクラテスを中心に展開されるプラトンの対話篇が、ソフィストという有象無象の影から「哲学者」ソクラテスを救い出す試みであったことはつとに知られている。しかし、そこでソクラテスの傍らにいたのは、くだんのソフィストばかりではなかった。すくなくとも先の『饗宴』におけるアリストデモスは、ソフィストとは異なるもうひとつの影として、ソクラテスにつきしたがっていた。さらにご存じのように、アリストデモスは『饗宴』において、ソクラテスの生前の姿をアポロドロスに語り伝えた当の人物でもある。かくして、哲学者やソフィストと同じく言葉によって身を立てるべき食客は、哲学誕生の原光景にしかとその姿をとどめているのである。

ディオゲネスの伝統

ここから論じていくのは、そのソクラテスと表裏をなすもうひとりの哲学者である。かのディオゲネスこそは、内と外の境界線をいくども踏み越えながら、その内外を隔てている法にたえず揺さぶりをかける、その典型とも言える人物にほかならない。

ここであらためてディオゲネスのことを紹介するにあたり、いったいどのようなエピソードから始めるのがもっとも適切だろうか。たとえばこんな言い伝えがある。あるときアレクサンドロス大王がやってきて、日光浴をしているディオゲネスに「何でも望みのものを申してみよ」と言った。それに対するディオゲネスの返答は、「あなたがいると日陰になるから、そこをどいてほしい」というものだった。[*5] それとも昨今では、ミシェル・フーコーの「パレーシア」という概念の出どころである、と言ったほうがむしろ通りがよいだろうか。この世でもっとも素晴らしいものは何か、と問われたディオゲネスは、「パレーシア」すなわち「公然とすべてを言うこと（言論の自由）」がそれであると言った。[*6] これらのエピソードをはじめ、今日まで伝わるディオゲネスの人となりには、権力をものともせず、おのれの言いたいことを公然と言う人物であるという印象がつきまとっている。

このシノペのディオゲネスについて、今日われわれが知り得ることのほぼすべては、紀元三世紀に書かれたとされる『ギリシア哲学者列伝』を典拠としている。そのほかには、ディオゲネス本人の書物はもちろんのこと、その具体的な思想内容を伝える文献も、まったくと言っていいほど残っていない。にもかかわらず、ディオゲネスは西洋哲学史において、長らく特権的な地位を保ちつづけてきた。それというのも、かの『列伝』に読めるエピソードの数々が、この人物の例外性をきわめてよく伝えてくれるものばかりだからである。

すでにのべたように、哲学史において、ディオゲネスはもっぱらキュニコスを代表する哲学者として知られている。これはもともとソクラテスの弟子アンティステネスによって創始された学統であるが、いまやキュニコスと言えば、もっぱらそのアンティステネスの弟子たるディオゲネスに結びつけられるのが常である。キュニコスをめぐって、ニーチェが「この地上で達成しうる最高のもの」と絶賛を惜しまなかったのも、具体的にはこのディオゲネスの生きざまにほかならない[*7]。

ディオゲネスは、両替商ヒケシアスの息子として、紀元前五世紀末のシノペに生まれた。だが、アポロンの神託を誤って解し、当地で流通していた通貨を粗悪なものにつくり変えたために、故郷を追放されることとなった（このエピソードの真偽についても諸説ある）。それから各地を流れたディオゲネスは、最終的にアテナイで哲学を修めることになる。そのため、いわばこの通貨変造が「哲学者ディオゲネス」の誕生につながった、その原光景であると言うことができる。そうした理由もあり、通貨変造というこの謎めいた出来事は、過去にもさまざまな推理の対象となってきた[*8]。だが、われわれがむしろ注目したいのは、このシノペ追放後のディオゲネスをめぐる、次のようなエピソードのほうである。
それによると、あるときディオゲネスは航海中に海賊に捕らえられ、ついにはクレタ島で奴隷として売りに出されたという。これは、メニッポスの『ディオゲネスの競売』をはじめとする——いずれも散失した——複数の文献を介して『ギリシア哲学者列伝』に伝わった、比較的信憑性の高いエピソードのひとつである（ちなみに、前にもふれたルキアノスの『哲学諸派の競売』は、この『ディオゲネスの競売』に着想を得て書かれたものであるらしい）。それが伝えるところによると、奴隷市場において「おまえはどんな仕事ができるのか」と問われたディオゲネスは「人々を支配すること」であると答えたという。そして、クセニアデスという人物をおのれの主人として「逆指名」したディオゲネスは、首尾よくその家に入り込む。しかも、もともと奴隷として買われたはずのディオゲネスは、やがてその家の教師として、むしろ子供たちを教育する立場に転じるのだ。『ギリシア哲学者列伝』には次のようにある。

メニッポスが『ディオゲネスの競売』で書いているところによると、ディオゲネスが捕らえられたとき、お前はどんな仕事ができるかと尋ねられた。すると「人々を支配することだ」と答えた。そしてお触れ役にむかって、「だれか、自分のために主人を買おうとしている人はいるか、と触れ回ってくれ」と言ったそうである。また、そのさい坐ることを禁じられると、「そんなことはどうでもよい。魚だって、どんなふうに並べられていようと売られていくのだから」と答えたという。[*9]

そしてディオゲネスは、おのれの買主であるクセニアデスに対して、なるほど自分は奴隷であるが、自分の言うことには従ってもらわねばならない、と言ったという。というのも、かりに医師や操舵士が奴隷であったとしても、その人の言うことには従わねばならないだろうから、と。そうして、ディオゲネスはクセニアデスの息子たちを教育し、最後はかれらに手厚く葬られたという。『ギリシア哲学者列伝』には、これと内容をほぼ同じくするもうひとつの記述がある。こちらのほうがやや詳しいため、さきほどの記述とあわせて読んでみてもいいだろう。

ディオゲネスは、奴隷として売りに出されたときにも、まことに堂々とした様子でこれに堪えた。というのも、かれはアイギナ島への航海中に、スキルパロスの率いる海賊どもに捕らえられ、クレタ島に連れていかれて売りに出されたからである。そして触れ役が、お前はどんな仕事ができるのかと尋ねると、かれは「人々を支配することだ」と答えた。そのさい、ディオゲネスはは紫の縁飾りのある立派な衣服を身に着けたコリントス人、すなわちさきほどのクセニアデスを指さして、「この人におれを売ってくれ、かれは主人を必要としている」とも言ったのだった。クセニアデスはかれを買い取って、コリントスへ連れ帰り、自分の子供たちの監督に当たらせ、家のこといっさいをディオゲネスに委ねた。じっさいかれは家事全般をひじょうにうまく取り仕切ったので、主人のクセニアデスは「よきダイモーンがわたしの家に舞い込んだ」と言いながら、そこらじゅうを歩き回ったほどである。[*10]

このエピソードは、ともすると「主人」と「奴隷」の鮮やかな逆転を例証するものとして、いくぶん拙速に読み過ごされるおそれがある。だが、ここでディオゲネスは――さながらヘーゲルにおける「主人」と「奴隷」の弁証法のごとく――奴隷としてのおのれの立場を超克したのではない。それ以外のさまざまなエピソードにも鑑みると、ディオゲネスという人間はむしろ、奴隷から主人へ、主人から奴隷へ、といったように、おのれの社会的アイデンティティをたえずつくり変えるものである――おそらくそのように言うべきではないか。

げんに、それ以前のディオゲネスは、ポリスでもっともよく知られた「ホームレス」であった。罪人として故郷を追われ、どこにも住むべき家をもたぬディオゲネスは、いつもひとり甕のなかで生活していた。アテナイに流れ着いたとき、すでに五〇歳を超えていたこの哲学者は、食器をはじめとする家財道具をいっさいもたず、大甕のなかで清貧な暮らしを送っていた。そうかと思えば、人々の説得におそろしく長けたこの人物は、クセニアデスばかりでなく、市中のさまざまな人間の尊敬を集める賢人でもあった。なかでも、かのアレクサンドロス大王がディオゲネスに示したこのうえない賞賛は、この人物の伝説的な評価を考えるうえで、およそ語り落とすことのできないものである。いずれにしても、ディオゲネスは市内でもっとも惨めな乞食であると同時に、エジプトからインドにまたがる大帝国を支配した王をして「ディオゲネスになりたい」と言わしめた賢人でもあったのだ。[*11]

異人と都市国家

ここから次のように言うべきだろう。ディオゲネスの前では、ふだん人々が当然のものとしている社会的な法や規範が、ほとんどその意味を失う。さかのぼると、「国家に流通するものを変造せよ」というかつてのアポロンのお告げは、まさにこうした「社会通念」の変革を意味していた。すくなくとも『ギリシア哲学者列伝』の記述は、そのような断言とともに始まっている。

ある人たちによると、かれは職人たちを監督する立場にあったとき、まわりに勧められてデルポイに――あるいは祖国にあるデーリオンに――おもむいて、職人たちから言われたようなことをすべきかどうか、アポロンの神に尋ねた。するとアポロンは、国のなかで流通するものを変えることを許したのだが、ディオゲネスはその意味を取り違え、通貨のほうを粗悪なものにつくり変えたのである。[*12]

「貨幣」と「社会通念」は、いずれも「国家に流通するもの」を意味する「ノミスマ（νόμισμα）」という言葉で言い表すことができる。そしてディオゲネスは、本来「社会通念」であるところのものを誤って「貨幣」と取ったために、かの通貨変造に手を染めたのだ。いささかできすぎたストーリーではあるが、結果的にディオゲネスは、たしかにこの神託を成就したのである。

このディオゲネスのような、共同体における例外的な人物をさす言葉のひとつに「クセノス」がある。これは、基本的にポリスの外からやってきた「異人」のことであるが、場合によっては同じような意味で「客人」と言いかえることもできる（それゆえ、ここには広義の「食客」も含まれる）。さらに言うと、この「ξένος」は――たとえばフランス語における「hôte」と同じく――「主人」と「客人」の双方を意味することができる。こうした「主」と「客」の識別不可能性を体現するものとして、ディオゲネスこそは、この「クセノス」という形容に大いに似つかわしい存在である。

それだけではない。一般的な事実としても、通貨変造のかどで故郷を追われてきたディオゲネスは、アテナイという都市国家に流れてきた異人《クセノス》にほかならなかった。また、公衆の面前での自慰行為をはじめとするそのふるまいも、市中の人々を大いに当惑させる異人のそれであった。ディオゲネスは社会のなかに完全に溶け込むことなく、たえずその常識に揺さぶりをかけ、かつそれによっておのれの軀を養っていた。げんに、ディオゲネスその人が、おのれをアテナイという都市国家そのものの食客であると考えていたふしがある。

ディオゲネスは、食事をとるのにも、眠るのにも、話し合いをするのにも、あらゆる場処を利用した。そしてそのようなとき、かれはゼウスの神殿の柱廊やポンペイオンを指さしながら、アテナイ人は自分のために住みかをしつらえてくれる、と言ったものだ。[*13]

ディオゲネスは食客である。ただし、かれはクセニアデスに買われたときのように、これと決めた特定の人間のもとにとどまることはしない。いましがた見たように、いつも大甕のなかで暮らしていたディオゲネスは、ひとりの人間を宿主とする食客ではなく、アテナイという都市そのものの食客なのだ。しかもこの人物は、ほとんど所有物とよべるものをもたないおのれもまた、べつの生き物を食客として養っているという自覚をもっていた。というのもかれは、テーブルのうえを走り回るネズミにむかって、「ディオゲネスもまた食客を養っている（καὶ Διογένης παρασίτους τρέφει）」と言ったとされるからである。[*14]

では、この有数の都市国家の食客たるディオゲネスは、つまるところそこで何をしていたのか。あるいは、何をしようとしていたのか。これは無意味な問いかもしれないが、『ギリシア哲学者列伝』を読んでいると、この問いに対するひとつの答えが浮上する——ディオゲネスは、人間を探していたのだ。

真のコスモポリタン

これについては、三つのエピソードがある。

あるときディオゲネスは、広場で「おおい、人間ども！」と叫んだという。しかし、そこにわらわら人が集まってくると、かれは杖を振り上げて人々に迫りながら、「おれがよんだのは人間だ、がらくたなんぞではない」と言った。[*15] またあるときは、日中に煌々とランプの火をともし、「おれは人間を探しているのだ」と言った。[*16] また、ディオゲネスがオリュンポスから帰ろうとしていたとき、人はおおぜい集まっていたかね、と尋ねるものがいた。それに対しディオゲネスは、「大勢だった。しかし人間はわずかだった」と答えたという。[*17]

これら三つのエピソードに出てくる「人間」とは、原文ではすべて「アントローポス（ἄνθρωπος）」である。ディオゲネスは、アテナイで日々「人間」を探していた。別様に考えると、かれにとって、そこらじゅうにいる人間は「人間」ではなかった。そのように言うべきだろう。

では、ディオゲネスが考える「人間」とはいかなるものなのか。それについて、なにか具体的なことを教えてくれる文献はない。おそらくディオゲネス本人も、それをはっきりと明言したことはなかったのだろう。というのも、さきほどの三つのエピソードに共通しているのは、これらがいずれも実定的な命題ではないということにあるからだ。ディオゲネスの発言はむしろ、それを聞くもののうちに「人間とはなにか」という問いを惹起することを意図しているように思われる。

ディオゲネスは「人間」を探していた。「人間」とはなにか。この人物によれば、それはわれわれが知るところの人間ではないらしい。ディオゲネス本人にも、その問いに答える用意があったかどうかは疑わしい。しかしいずれにしても、こうした言葉にふれるとき、われわれは「人間とはなにか」

という問題について考えることを余儀なくされる。いささか逆説めいたことながら、われわれが人間という存在について真に考えをめぐらせるには、そこに含まれることのない存在、すなわち非‐人間の存在が不可欠である。ヒトという生物種は、あくまでひとつの生物学的なカテゴリーにすぎない。人間とはなにか、という問いは、われわれがおよそ人間でないようなものと接したときに、はじめてひとつの問いとして結晶する。

異人たるディオゲネスがアテナイにもたらそうとしたのは、まさしくそのような問いにほかならなかった。人間とはなにか——われわれはいまだその答えを知らない。ゆえに、われわれは人間を探さなければならない。それが、哲学者ディオゲネスが投げかけた核心的な問いであった。

これに関連してもうひとつ、よく知られたエピソードを挙げておきたい。これが、われわれが『ギリシア哲学者列伝』から引く最後のエピソードである。

> あなたはどこからやってきたのかと尋ねられると、かれは「コスモポリテース」と言った[ἐρωτηθεὶς πόθεν εἴη, "κοσμοπολίτης," ἔφη][*18]。

ごく短いやりとりながら、これも、ディオゲネス伝のなかでもっともよく知られたエピソードのひとつである。ここで「コスモポリテース」というのは、今日でいうコスモポリタン——すなわち「世界市民」——のことである。このディオゲネスの発言は、時にカントの世界市民主義のルーツであると言われたりもするが、それはいささか無理があるというものだろう。というのも、この短いやりとりから、当のディオゲネスの真意を推し量ることなど到底できないからだ。

まずはこのやりとりを逐語的に見てみよう。ここでの問いは「あなたはどこからやってきたのか」というものである。「コスモポリテース」というディオゲネスの返答は、この問いに対するものであった。ここには、ごくわずかだが、いくらかの齟齬が見られる。ここでディオゲネスはおのれの来たるところを問われているわけだが（加来彰俊はこれを「あなたはどこの国の人か」と訳している）、これに対してかれは「（わたしは）コスモポリテースである」と言うことで、その答えにかえている。

ディオゲネスが言う「人間」がいかなる存在であるのか、その明示的な定義が与えられていないとすれば、われわれはその内実をあれこれ推測するほかない。そのさい、ポリスにおける異人としてのディオゲネスが「コスモポリテース」を自称していたという事実は、やはり見過ごすべきではないだろう。ここまでの議論を総合すると、異人であり、真のコスモポリタンであるところのディオゲネスこそ、「人間とはなにか」という問いをわれわれのもとに運び来たる不審者であった。不審者とは言っても、それはむろん身元不詳の何ものかではない。[*19] 市中のだれもがディオゲネスを知っている。にもかかわらず、そのアイデンティティはけっして詳らかでない。こうした特殊な存在様態をもった人間こそ、社会にあまねく行きわたる種々の通念にとどまらず、その構成員たる「われわれ」に大きく揺さぶりをかけるところのものなのである。

この世界の異人

はじめにものべたように、われわれが知るディオゲネスの姿は、『ギリシア哲学者列伝』に収められたわずかな断片を通してかろうじて再構築されたものにすぎない。それゆえ、ここまで見てきたような「ディオゲネス」は――「ソクラテス」がそうであるように――多かれ少なかれ、後世においてつくり出されたキャラクターであると考えるべきだろう。とりわけディオゲネスについては『列伝』以外のテクストがほぼ皆無でありながら、後世の人々の関心の高さゆえに、これまで無数の疑わしいテクストが発表されてきたという事情もある。

ごく最近でも、かのバラク・オバマが愛読しているという触れ込みでベストセラーとなった一般書のなかで、ディオゲネスが中心的な狂言回しの役割を演じていたことは、そのひとつの証左となるだろう。そこで紹介される「ディオゲネス」は、社会通念などものともせず、アレクサンドロス大王という巨大権力を前にして一歩も退かない、英雄的な人物として紹介されていた。こうした筋書きからも予想されるように、同書における「ディオゲネス」は、ハーマン・メルヴィルの小説に登場する「バートルビー」のごとく、さまざまな社会通念に抵抗を示した神話的な人物として奉られることになる。[*20] さしあたりその是非はおくとしても、このような読みは結局のところ、ディオゲネスをあるわかりやすいキャラクターへと還元し、それをわれわれの時代における抵抗の象徴として、いくぶん軽んじることになりはしまいか。

ここまでの内容からも明らかであるように、実のところディオゲネスは、ただ漫然と社会に抵抗していたわけではない。これは『ギリシア哲学者列伝』というテクストの性格に拠るところも大きいが、この人物をめぐる数々のエピソードは、むしろ強い一貫性を欠いた、とらえどころのない人物としてのディオゲネスをわれわれに伝えている。つまるところ、ディオゲネスは犬であり、奴隷であり、大王に一目おかれる賢人である。これとほとんど同様に、つねに主であり客である「クセノス」は、けっしてひとつのものにとどまることなく、知覚しえぬほどに複雑な様相の転換を通じて、たえずおのれの姿を変容させていくだろう。かりにそこから引き出すべきなんらかの教義があるとすれば、それはいかにも通俗的な「抵抗」の身振りではなく、根本的にはみずからが世界に対してまったく「異なるもの」であるという認識へと到達することではないか。

われわれひとりひとりが、この世界の異人《クセノス》であるということ。それは、おのれがこの世界の食客《パラシートス》であるという自覚に、ほとんど等しい。わたしは世界を喰らい、わたしは世界に喰らわれている。そうした言いかたがいくぶん強すぎるなら、いっそ次のように言いかえてもよい。わたしは世界を甘噛みし、わたしは世界に甘噛みされている。わたしと他なるものとの出会いは、たんなる「喰うか、喰われるか」とも異なる、そうした口唇的なエステティクスのもとにある。

われわれの食客論は、最後にこの存在論的口唇論によって締めくくられる。そのために、あらゆる偶然的な「出会い」を、たんなる形而上学の問題としてではなく、それを「味わう」というエステティクスの問題として示した、ひとりの哲学者に登場ねがうことにしたい。九鬼周造である。

第七章
味会

ひろく「寄生」という現象について考えるとき、その基本要素となるのは、言うまでもなく「食客」と「宿主」の関係である。その具体的な内実がいかなるものであれ、寄生という出来事が成立するには、何はなくともその二つの出会いがなければならない。なおかつ、そのように言うときに気に留めておかねばならないのは、食客とその宿主を結びつける必然的な絆など存在しないという事実である。食客はあらかじめ宿主をもって誕生するのではなく、むしろ宿主との出会いが、食客にその隠れたる使命を与える。かれらの出会いはつねに一定の偶然性に左右されるのであり、それがなければ、そもそも食客なるものは——定義上——存在しえない。

これを、より一般的に次のように敷衍することもできるだろう。われわれはここまで、ほかならぬ「寄生」こそが、「共生」に先立つこの世の摂理だと言ってきたのだった。それゆえ、さきほどのべたことは、わたしたちのあらゆる出会いについても当てはまる。あなたが、わたしが、この世界に生まれ落ちたのはひとえに偶然の結果であり、そこで生じる出会いにはいっさいの必然性が欠けている。生後すぐに、あるいはそれ以前から、わたしたちは偶然の計らいにより、この世界における最初の宿主と出会う。そして、やがて個体としての自律性を獲得するにつれ、わたしたちは次々に異なる宿主と出会い、同時にみずからもまたひとつの宿主へと転じていくことになるだろう。

ここからしばし考えてみたいのは、こうした「偶然の」邂逅がもつ、その意味についてである。わたしたちはこの世界にたまたま迷い込み、周囲の世界と、あるいは具体的な生物や事物と、そのたびごとに唯一無二の関係を結びながら死ぬ。むろんそこで、わたしたちは世界から一方的に糧を得ているわけではない。わたしたちは世界を喰らうとともに、世界によって喰らわれている。こうした「わたし」と「世界」の互恵的な関係を問題とするために、われわれが前章の最後に導入したのが「存在論的口唇論」という言葉であった。

　この、いくぶん奇妙な言葉をもちいる理由について、いましばし言葉を費やしておきたい。それはおおよそこういった次第である。複数の存在者がたがいを喰らいあうというテーゼは、ともすると、異なる生き物どうしの容赦なき捕食関係――いわゆる自然状態における争い――として、ごく安易なしかたで表象されるおそれがある。「共生」や「寄生」という主題に付随する「食べる」という営みへの注目は、しばしばそれを「食べる／食べられる」という非対称的な構造へと還元してしまう。これは「口」というトポスのなかでも、もっぱら口腔的な問題系であると言ってよいだろう。だが、わたしたちを取り巻く現実は、はたしてそこまで単純なものだろうか。たとえば栄養摂取のみならず、われわれのあらゆる生命活動が、広義の寄生状態に根ざしているのだとしよう。その場合、わたしと周囲のものたちのあいだに成立しているのは、一方が他方を無にしてしまうような酷薄な関係では絶対にないはずだ。食客が宿主に対してそうするように、わたしと他者との関わりはいつも、一方が他方を無にしてしまわないための配慮《ケア》に支えられている。われわれと他者のあいだには、生き物どうしの容赦なき捕食関係にはとうてい回収しきれない、無限に繊細なニュアンスがある。いくぶん比喩的に言うなら、それはたがいの命のやりとりに終始する口腔的関係ではなく、それぞれの開口部を通じて甘噛みしあうような口唇的関係である。こうした認識のもと、さしあたり便宜的な名称として、ここからの議論を「存在論的口唇論」とよぶことにする。

九鬼周造の偶然論

本題に戻ろう。食客と宿主、「わたし」と「あなた」を取り持つ紐帯は、例外なく偶然の産物である。さらに——のちほど見るように——この「すべては偶然の産物である」というテーゼは、一見それとは対照的な「すべては運命である」というテーゼと、実のところ表裏一体である。

偶然と運命というのは人間にとって普遍的な主題だが、それを理論的に把握せんとする試みは、どこか空回りを避けられない。というのも、現実に出来《しゅったい》する一回性の出来事を捕まえようとするその野心は、往々にして無味乾燥な思弁に行き着くことを免れないからだ。おそらくその数少ない例外たりえているのが、『偶然性の問題』(一九三五)をはじめとする九鬼周造(一八八八-一九四一)の一連の仕事である。[*1] これから見ていくように、九鬼は「偶然」とよばれる事象を精緻に腑分けし、それをきわめて洗練されたひとつの理論として提示した。しかし他方で、九鬼にとって偶然をめぐる諸問題はたんなる抽象的な思考実験ではなく、ほかならぬこの「わたし」によって味得される美的経験にほかならなかった。あらかじめ言っておくなら、九鬼において「わたし」と「世界」との邂逅は、ほとんど人間どうしのそれのような情感を帯びたものとして構想されている。

一八八八年、九鬼周造は文部省に仕官したのちの男爵・九鬼隆一の四男として生まれた。当時、すでに文部省を辞職していた隆一はたまたま駐米公使の職にあり、妻・波津子とともにワシントンに駐在していた。そこで波津子が周造を身籠ると、隆一はたまたま同地に立ち寄った文部省時代の部下・岡倉覚三（天心）に妻を託し、船で二人を日本に帰国させた。数奇な運命というほかないが、この船旅をきっかけに天心と波津子は恋に落ち、これがのちに大きなスキャンダルに発展することになる。帰国後、周造は東京で無事に生を享けたが、実の両親はほどなく別居・離婚することとなり、母親は精神を病んで不遇のままこの世を去った。そうした事情があるだけに、九鬼周造にとって天心は、精神的な第二の父親であるとともに、母の運命を大きく変えた人物として、終生複雑な感情をむける存在でありつづけた。

その「複雑な感情」の一端を伝えるのが、「岡倉覚三氏の思出」と題された、九鬼の生前は公表されることのなかった随筆である。これは一九三七（昭和一二）年、九鬼が五〇歳を迎える直前に書かれたものと推測されている。[*2]

> 当時、岡倉氏は日本で過される半年の間は本郷の帝大で講師として東洋美術史の講義をしていられた。ある日、私は赤門を入って教室の方へ行くところで、向うから岡倉氏が来られた。青色の支那風の服を着ていられた。私は十年振りばかりで逢ったわけだがすぐに岡倉氏とわかった。小供の時に見たきりの私を先方で覚えていられるはずはない。私は下を向いたままでお辞儀もしないで行き違ってしまった。私がいったいひっこみ思案だからでもあるが、母を悲惨な運命に陥れ

た人という念もあって氏に対しては複雑な感情をもっていたからでもある。それが私が岡倉氏を見た最後だった。岡倉氏は大正三年、赤倉温泉で亡くなられた。葬式が谷中であった時には父の代理に私が行った。[*3]

岡倉天心と九鬼周造――現実には父子関係にはないこの二人の精神的な交流について、後世の人々はあれこれと好きなことを語ってきた。むろん、そのほとんどは、たんなる駄弁の域を出るものではない。だが九鬼の偶然論を語るさいに、これら一連の出来事が引き合いに出されるのは、それなりの正当性があるように思われる。それは九鬼にとって、おのれの運命を大きく変えたこのスキャンダルそのものが、ひとえに偶然の結果にほかならなかったからだ。九鬼が「偶然」をめぐる理論に関心を寄せた理由はほかにもあるようだが、[*4]いずれにしてもその思索の渦中で、かれがおのれの数奇な運命に思いを馳せなかったはずはない。

しかしながら、いまはそうした九鬼の実人生に深く立ち入る場ではない。今後の議論の見通しのために、ここで問題をあらかじめはっきりさせておこう。われわれの関心は、九鬼の偶然論がたんなる抽象的な思弁に終始することなく、きわめて人間的な情感をともなったものとして構想されているということにあった。なかでもここで提起したいのは、九鬼にとって偶然の邂逅という事態そのものが、第一義的に美的《エステティック》な経験にほかならないのではないか、という仮説である。そのために、われわれは九鬼周造の哲学的主著である『偶然性の問題』から出発して、最終的には『「いき」の構造』（一九三〇）に代表される美学・芸術理論にこれを接続することにする。

三つの「偶然」

いましがた示したようなステップを踏むにあたり、まずは九鬼周造の偶然論を大づかみに整理しておきたい。『偶然性の問題』における「偶然」概念は、大きく三つに分類される。

『偶然性の問題』という書物の最大の特徴は、同書が偶然性をつねに必然性との対比において論じるところにある。どういうことか。まず、ある対象Oに一般的に当てはまるPという属性があるとする。その場合、属性Pは対象Oにとって必然的である。これに対して、対象Oにとって必然的ではない属性Qは、対象Oにとって偶然的である。たとえば、対象「クローバー」はふつう「三つ葉の」植物として知られている。ゆえにクローバー（O）にとって、三つ葉であること（P）は必然的である。これに対して、クローバー（O）が四つ葉である（Q）とき、それは偶然的であるとみなされる。われわれは、クローバーがふつう三つ葉の植物であることを知っている。ゆえに、四つ葉のクローバーを見つけたとき、それを――「必然的なもの」との対比において――「偶然的なもの」であると考えるのだ。こうした偶然を、九鬼は「定言的偶然」とよぶ。ただ、この表現はいささかわかりにくいので、ここでは九鬼のほかのテクストも参照しつつ、これを「論理的偶然」と言いかえておきたい。この第一の偶然は、純粋に論理的な水準において見いだされる偶然、すなわちある対象の必然的属性ではない偶有的属性をいうものである。

他方、この第一の偶然とはまた異なる議論として、AとBという無関係な出来事が「たまたま」出会ってしまうということがある。たとえば「四つ葉のクローバーを見つけた」ら「思いがけぬ幸運に恵まれた」というのがそれだ。あるいは「きのう渋谷で出会ったばかりのXさんとYさん」が「きょう吉祥寺でばったり再会した」というのも、やはりこのたぐいの偶然性である。ここでもまた、はじめに考えるべきは偶然性と必然性の対比である。というのも、一般的にこれらのことが偶然だと考えられるのは、事実Aと事実Bのあいだに必然的な因果を見いだすことができないからだ。そして、われわれがふだん「偶然」とよんでいるもののほとんどは、この第二の偶然に含まれる。九鬼は『偶然性の問題』においてこれを「仮説的偶然」とよんだ。ただ、この言葉も直感的にわかりにくいので、九鬼本人の言葉を借りて、これを「経験的偶然」と言いかえておこう。この第二の「経験的偶然」は、第一の「論理的偶然」とは異なり、われわれが経験のなかで逢着する、ごくふつうの意味での「偶然の」出来事に相当する。

そして最後のものが「離接的偶然」である。これは、形式的な「論理的」偶然とも、はたまた具体的な「経験的」偶然とも異なり、この世界がいま「このように」あることを支えている根源的な偶然性のことである。さきほどの「経験的偶然」の場合、われわれが出来事Aと出来事Bを結びつける因果の連鎖を見いだすことができないのが、そもそもの問題であった。だがひょっとしたら、われわれが日常的に偶然とみなす出来事もまた、じつはわれわれのあずかりしらぬ必然によって引き起こされたことかもしれない。わたしたちが偶然だと思っているさまざまな出来事は、さかのぼれば、もしかしたら何らかの必然の結果として生じたことかもしれない。だが、その必然もまた、それとはべつの偶然に裏打ちされているとしたらどうだろう……。このように、あらゆる出来事の根拠を問うていくと、やがてわれわれは、この世界の無根拠性のようなものに突き当たる。それでも、世界は現にこのようにある。つまり「世界が現にこのようにある」ということそれじたいが、背後にほかの無数の可能性をもった、ひとつの偶然の結果なのだ。九鬼はそれを、シェリングの言葉を借りて「原始偶然(Urzufall)」と言った。ともあれ、この「離接的偶然」は、最終的に世界をいまこのように存在せしめている根源的な偶然性へと行き着くことになるだろう。それゆえ、この第三の偶然を、九鬼はべつのところで「形而上的偶然」とも言っている。

これらの議論は、『偶然性の問題』につづく複数の論文や講演でも、おおよそ似たようなしかたで敷衍されている。なかでも、京都哲学会での講演をもとに書かれた「驚きの情と偶然性」(一九三九)は、ここまで見てきた消息をごく簡潔に要約してくれている。最後にそちらも見ておこう。

> ［……］これら三つの形であらわれている偶然性には各々《おのおの》特色がある。第一の形、すなわち概念に関する偶然性は、概念と徴表との関係という論理学上の見地だけから見たものであるから、論理的偶然ということができるであろう。第二の形の偶然性は、狭義の理由性に関する限りは純論理的領域に留っているが、しかし実際上は特に因果性と目的性とに関して著しく注意されるもので

あるから、便宜上、経験的偶然ということができるであろう。第三の形の偶然性は、全体に対して離接肢の一つがもつ関係であるが、甲、乙、丙のいずれの離接肢が定立されるかということは、定立という概念の内容そのものに促されて、論理の範囲から、現実の領野へおのずから移動する。しかも全体ということは形而上的の絶対者にあって特に勝義において妥当するものであるから、この種の偶然性をかりに形而上的偶然と云っても差支ないであろう。[*5]

まとめよう。九鬼周造の偶然論は、大きく三つの「偶然」からなる。『偶然性の問題』において、それは「定言的偶然」「仮説的偶然」「離接的偶然」とされていたが、それは「驚きの情と偶然性」をはじめとする諸論文において、よりわかりやすく「論理的偶然」「経験的偶然」「形而上的偶然」と言いかえられている。そして、もっかの議論に関連するのはただひとつ、この第二のものに相当する「経験的偶然」である。

我と汝の邂逅

繰り返すなら、この「経験的偶然」のポイントは、AとBというまったく異なる（はずの）出来事が、なぜか不意に邂逅するということにあった。それは平たく言うと、それじたいとしては必然的な絆をもたない二つの出来事が「たまたま」出会ってしまうという事態にほかならない。

ここで、議論をすこし遡っておきたい。先立って注意をうながしておいたように、九鬼の偶然論において肝腎なのは「必然」と「偶然」の対立であった。九鬼によれば、偶然とは必然の否定である。それでは、必然とはそもそも何の謂いか。それは「同一という性質上の規定を様相の見地から言い表わしたもの」である。[*6] それゆえ「甲は甲である」という同一律こそが、もっとも厳密なる必然性を表している――九鬼はそのように言う。

こうした理路そのものに、さしあたって不審なところはないだろう。だが、それを具体的に論じる九鬼の言葉選びには、いささかの注意が必要だ。というのも、「甲は甲である」という同一律にもとづく必然と、それを打破する「甲」と「乙」との偶然の邂逅は、もっぱら「我」と「汝」の関わりとして論じられていくからだ。雑誌『改造』に掲載された「偶然の諸相」(一九三六)には、たとえばこんな一節がある。

必然性は「我は我である」という主張に基いている。「我」に対して「汝」が措定されるところに偶然性があるのである。必然性に終始する者は予め無宇宙論へ到着することを覚悟していなければならない。それに反して偶然性を原理として容認する者は「我」と「汝」による社会性の構成によって具体的現実の把握を可能にする地盤を踏みしめているのである。[*7]

いささか奇妙な文章である。なぜ奇妙かといえば、ここでいう「我」と「汝」というのが、いわゆる文字通りの「わたし」と「あなた」のことを言っているようには読めないからだ。簡単に言うと、この「我」とは完全なる必然性のもとにある「一者」、そして「汝」とはその必然性を打ち破る「他者」のことである。後段の文章があるためかえって見にくいのだが、これは具体的な人間どうしの関係に限定された議論ではない。[*8]九鬼は、いかなる偶然性も許容しない「我」のみの世界が「必然性に終始する」――ゆえにこの宇宙を不要とする――のに対して、偶然を「汝」として容れる世界こそがわれわれの「具体的現実」だと言っているのだ。

あらためて繰り返すが、この「我」と「汝」の出会いを、素朴に人間どうしのそれとして(のみ)考えてはならない。ここで九鬼は、純粋に論理的な意味でこれらの言葉を用いている。さきほどの「経験的偶然」にそくして言えば、出来事Aと出来事Bのあいだに見いだされるのもまた、この「我」と「汝」の邂逅なのである。

いずれにしても、『偶然性の問題』が「あまりに堅い」哲学論文であり、それを読むのは「かなり辛いものがある」などという物言いは、同書における問題の核心を捉えそこねている。[*9]同書のエッセンスを抽出した一般むけの講演や論文のみならず、いっけん取りつく島もない『偶然性の問題』においてすら、九鬼はこの「我」と「汝」の邂逅がもつ奇跡を軽んじることはなかった。ここまでの整理をふまえて次の一節に目を通してみれば、九鬼がここで問題にしようとしている事態が何であるかは明らかであると思われる。

偶然性の核心的意味は「甲は甲である」という同一律の必然性を否定する甲と乙との邂逅である。我々は偶然性を定義して「独立なる二元の邂逅」ということができるであろう。[*10]

これが、九鬼周造の偶然論のエッセンスである。かりにこの世界のすべてが必然性のもとにあるとしたら、そこに未知の出来事が生じる余地はなく、時間も空間も不要ということになるだろう（九鬼が「無宇宙論」とよぶのはそうした事態である）。だが、われわれの「具体的現実」はそうなっていない。「甲は甲である」という同一律は、「甲」とは異なる「乙」との邂逅によって否定される。この「甲」と「乙」、あるいは「我」と「汝」の偶然の出会いが、必然性に囚われたこの世界に意味を与える。もういちどだけ繰り返すが、これを人間どうしの出会いと考えるのは早計である。ここでいう「我」と「汝」の邂逅には、出来事Aに対する出来事Bの連鎖もまた含まれるからだ。

現前性の亡霊

この問題に絡めて、『偶然性の問題』における「偶然」の時間構造についても一言ふれておこう。九鬼によれば、可能性は未来、必然性は過去、そして偶然性は現在という時間性に属している。ここでいう可能性とはいまだ起こっていないこと、必然性とはすでに起こってしまったことをいう。そして偶然性とは、可能性が消失し、必然性へと展開される場としての現在にこそ帰属するものなのだ。

あらゆる出来事は、いまだ起こっていない状態（＝未来）から、すでに起こった状態（＝過去）へと転じる。そしてこの両極を架橋しているのが、その中間領域たる「現実面」（＝現在）なのである。この議論は、九鬼の分類のうち第三の「離接的＝形而上的偶然」に含まれるものであるが、この意味においてあらゆる出来事は、すべからく偶然の出来事とよぶべきなのである。

> 偶然が現在における邂逅であることは、「傍らにあること」（Sein-bei）として現前の「頽落」を意味していると考えても差支ない。また、その動きとして「墜落」と考えても差支ない。しかし「偶然」（Zufall）を「頽落」（Verfall）または「墜落」（Abfall）と解することは「頽落」および「墜落」の語の中から一切の価値論的見地を排除するという条件の下においてのみ許さるべきことは言を俟たない。[*11]

この晦渋な一節を、九鬼はほぼ全面的にハイデガーの用語に依拠しながら書き記している。ただ、ここではそうした語釈談義はいったん措いて、ただ「傍らにあること（Sein-bei）」という表現にのみ注目しよう。ここで言われているのは、おおよそ次のようなことである。さきほども見たように、ここでは無数の可能性が現実面とぶつかり、それがひとつの必然性へと転じることが、「偶然」の創造と同時的なものとして捉えられている。つまり、無数の可能性が現在においてそのつど分岐し、たまたま成立したのが「この」現実なのだ。個々のケースによって確率の相違こそあるものの——そして経験的な次元においてはそれこそが問題なのだが――、形而上的な次元では、偶然はみなひとしく現在において創造される。これにあてがわれた「離接的偶然」という言葉は、おそらくこうした時間的な構造のもとでこそ十全に把握されるだろう。

さきほどの一節に戻ろう。「我」と「汝」の邂逅は、ほかならぬこの「わたし」の充溢を毀損する。「あなた」は「わたし」ではない。それゆえ「わたし」と異なる「あなた」との出会いは、極言すれば「わたし」が「わたし」として自立していることに根本的な疑問を投げかける。ここで言われているのは、そうした「あなた」との出会いが、われわれの現実のなかにつねに潜んでいるということにほかならない。偶然性はつねにわれわれの「傍ら」にある。九鬼周造が言うところの「形而上的偶然」――それは、われわれの現前性に取り憑いた亡霊、すなわちひとつの「パラサイト」なのである。

九鬼周造の美学

ここまでの議論を、最後に九鬼周造のもうひとつの主著に接続して締めくくろう。いったい、どれほど一般的に言えることであるのかは心もとないが、『偶然性の問題』における「独立なる二元の邂逅」としての偶然は、その数年前に上梓された『「いき」の構造』をただちに想起させる。

知られるように、九鬼は、「いき」という日本に特殊な美意識を論じるさいに、「媚態」「意気地」

「諦め」という三つの契機を取り出した。ここではそれを詳しく見ていく余裕はないが、九鬼が「いき」の特徴として、その「二元性」を強調していたことは、ここであらためて想起されてよい。つまり「媚態」にしても「意気地」にしても「諦め」にしても、九鬼がそこで伝えようとしていた「いき」のエッセンスとは、相互に無関係な「独立なる二元」が行きずりの関係を結ぶ、という緊張感をともなった邂逅にこそあった。従前の言葉づかいを踏襲しつつこれを敷衍すれば、「媚態」は我と汝を「完全なる合同」から遠ざけ、まずはその「二元的可能性」を確保する。次いで「意気地」は我と汝のあいだにささやかな抵抗の契機を加味し、同じくこれが「完全なる合同」に至ることを阻止するだろう。さらに最後の「諦め」は、ほとんど「無関心」と同義であり、これが「媚態」と「意気地」に「すっきりと垢抜した心」を付与する。そうして、「いき」は「安価なる現実の提立を無視し、実生活に大胆なる括弧を施し、超然として中和の空気を吸いながら、無目的なまた無関心な自律的遊戯をしている[*12]」。

九鬼は、この最後の「諦め」について語るとき、しばしば「運命」なるものに話題をむける。その論じかたはおおむね一様で、そこではほぼ例外なく、おのれの「運命」に対する諦めの境地が考えられていると言ってよい。『「いき」の構造』における「諦め」とは、ほかでもなくおのれの「運命」に対する諦めなのだ。

この「運命」という主題は、ここまでわれわれが論じてきた一連の偶然論にも、当然のことながら姿をのぞかせる。そこで九鬼が提示する「運命」観に、じつはそこまで特殊なところはない。われわれはみな、大なり小なり、おのれの運命を左右するような出来事に遭遇することがある。それは、みずからの意志によってはどうすることもできなかった出来事である。であれば、それを前にしてわれわれがなし得ることは、それをあたかもおのれが意志したものとみなすこと、これである。「偶然と運命」（一九三七）と題されたラジオ講演で、九鬼は次のように言っている。

皆さんは今ラジオを聞いておいでになる。［…］幾つかの放送局があって、それぞれ違った波長の電波を送っているのであります。皆さんは受信機のダイアルを勝手にお廻しになってそれらの色々と違った波長のうちでどの波長でもお選びになることができたのであります。そうして自由に選択して一定の放送を聞いておいでになるのであります。運命というものは我々の側にそういう選択の自由がなくていやでも応でも無理に聞かされている放送のようなものであります。ほかに違った放送が同じ時間に沢山あるのであるけれども、何故かこの放送を無理に聞かされているというわけであります。他のことでもあり得たと考えられるのに、このことがちょうど自分の運命になっているのであります。人間としてその時になし得ることは、意志が引返してそれを意志して、自分がそれを自由に選んだのと同じわけ合いにすることであります。[*13]

ラジオ講演ということもあり、「偶然と運命」というテーマを扱ったものとしては、ごく穏当なまとめかたであるといってよいだろう。しかし、この一節を読みながらやはり想起せずにいられないのは、はじめに見た「岡倉覚三氏の思出」に九鬼が書きつけていた言葉である。天心への「複雑な感情」を吐露したあとに、九鬼はその回想をどのように結んでいたか。きわめて有名な一節であるが、あらためて読んでおこう。

> 岡倉氏が非凡な人であること、東洋美術史の講義もきわめて優れたものであることは、きいていたが、私は私的の感情に支配されて遂に一度も聴かなかったのは今から思えば残念でならない。西洋にいる間に私は岡倉氏の『茶の本』だの『東邦の理想』を原文で読んで深く感激した。そうしてたびたび西洋人への贈物にもした。やがて私の父も死に、母も死んだ。今では私は岡倉氏に対しては殆どまじり気のない尊敬の念だけをもっている。思出のすべてが美しい。明りも美しい。蔭も美しい。誰れも悪いのではない。すべてが詩のように美しい。[*14]

ラジオ講演「偶然と運命」は、一九三七年の一月二三日に行なわれた。そして、すでに見たように「岡倉覚三氏の思出」が書かれたのも、やはり同じ一九三七年のことであった。つまりこの回想録じたいが、齢五〇を目前にした人間が、おのれの数奇な「運命」を噛み締めつつ書いたものにほかならないのだ（九鬼もまた、この一文をしたためた四年後に没している）。そして、この回想録に独特な色合いを付与しているのが、後半に登場する「美しい」という言葉のリフレインである。

九鬼周造の美学といえば、もっぱら『「いき」の構造』や『文芸論』（一九四一）ばかりが取り上げられるきらいがある。だが、ここまでしばらく読んできた『偶然性の問題』もまた、そちらの問題系とけっして無縁ではない。いや、より積極的に言うなら、九鬼の偶然論は、それに先立つ「いき」や「押韻」をはじめとする美学・芸術理論とひと続きのものとしてあった。九鬼において「偶然」や「運命」といった主題は、なにも人間の実存的な領域にかぎられたものではなく、自然や詩歌をはじめとする森羅万象にまたがっている。それは、ついさきほどの「形而上的偶然」をめぐる議論からも明らかであるように思われる。そして、前掲の「美しい」というフレーズの反復に示されるように、それは客観的な出来事の邂逅である以上に、そこに巻き込まれたわれわれが主体的に味わうべきものでもある。

おそらくそのことじたいは、『「いき」の構造』から『偶然性の問題』を経由して『文芸論』へと至る、これらの書物を統一的なまなざしのもとで眺めてみれば、おのずから明らかになるように思われる。さしあたりここでは、この事態を象徴的に示すひとつの言葉に注目したい。それが「味会《みかい》」である。

味会という経験

この「味会」といういささか聞き慣れない言葉は、『「いき」の構造』の終盤に二回だけ登場する。実はこの言葉は、同書の草稿にあたる「「いき」に就いて」や「「いき」の本質」(一九二六)はもちろんのこと、同書とほぼ内容を同じくする『思想』掲載稿にも見当たらない。ここから推察されるのは、九鬼は『「いき」の構造』を上梓するさいに、満を持してこの言葉を採用したのだろうということだ。この「味会」なる言葉は、当時においてもむろん一般的な表現ではなかった。そこでまず、この「味会」なる言葉が用いられる前後の文章にひととおり目を通しておきたい。『「いき」の構造』の「結論」は次のように始まる。

「いき」の存在を理解しその構造を闡明《せんめい》するに当って、方法論的考察として予《あらかじ》め意味体験の具体的把握を期した。しかし、すべての思索の必然的制約として、概念的分析によるのほかはなかった。しかるに他方において、個人の特殊の体験と同様に民族の特殊の体験は、たとえ一定の意味として成立している場合にも、概念的分析によっては残余なきまで完全に言表されるものではない。具体性に富んだ意味は厳密には悟得の形で味会されるのである。[*15]

ここで九鬼は、おおよそ次のようなことを言っている。ここまで同論文は、「いき」なる美的現象の「内包的構造」および「外延的構造」を明らかにし、次いでその「自然的表現」と「芸術的表現」を具体的な対象を通じて明らかにしてきた。しかしながら、もっぱら概念による把握だけでは「いき」の何たるかを知るには十分ではない。その具体的意味は、最終的には「味会」なる営みによって把握されねばならないのである。

その理由を九鬼は次のように説明する。いわく、物事の価値判断は体験として「味わう」ことに始まる。日常的な飲食の場面を考えてみれば明らかであるように、われわれは日々の経験のなかで覚えた「味」を基礎として、そのつどみずからの判断をくだすのだ。しかし「味わう」と言っても、それが純粋な「味覚」のみの結果である場合はほとんどない。九鬼が考えるところの「味なもの」とは、味覚のほか、ほのかな香りを嗅ぎ分ける「嗅覚」や、その感触をたしかめる「触覚」のはたらきを同時に要求する。この味覚・嗅覚・触覚の連関が「原本的意味における「体験」を形成する」と九鬼はいうのである。

いわゆる高等感覚は遠官として発達し、物と自己とを分離して、物を客観的に自己に対立させる。かくして聴覚は音の高低を判然と聴分ける。しかし部音は音色の形を取って簡明な把握に背《そむ》こうとする。視覚にあっても色彩の系統を立てて色調の上から色を分けてゆく。しかしいかに色と色とを分割してもなお色と色との間には把握しがたい色合《いろあい》が残る。そうして聴覚や視覚にあって、明瞭な把握に漏《も》れる音色や色合を体験として拾得するのが、感覚上の趣味である。一般にいう趣味も感覚上の趣味と同様にものの「色合」に関している。すなわち、道徳的および美的評価に際して見られる人格的および民族的色合を趣味というのである。［……］「いき」も畢竟《ひっきょう》、民族的に規定された趣味であった。したがって「いき」は勝義における sens intime によって味会されなければならない。[*16]

同書において「味会」という言葉が用いられるのは、これですべてである。ちなみに、さきほどふれた『思想』掲載稿（一九三〇年一・二月号）では、これらはそれぞれ「会得」と「感得」という表現になっている。[*17] 前後の内容からすれば、「会得」や「感得」のままでも十分に意味は伝わったはずだ。しかしながら、九鬼は『「いき」の構造』を書物として発表するにあたり、この「味会」という明らかに聞き慣れない言葉を同書のクライマックスにおいた。そのことの意味は、やはり見過ごすべきではないように思う。

では、この「味会」とはいったい何なのか。まず、これが特殊なコノテーションをもった哲学概念でないことは明らかである。かつて坂部恵は、同書の準備草稿にあたる「「いき」の本質」から単行本『「いき」の構造』までの四つのテクストを比較し、その細部における変遷を詳しくたどったことがある。しかしそこで、草稿から『思想』掲載稿にいたるまで、この「味会」なる言葉が不在であったことは指摘されていない。[*18]

また、これは傍証の域を出るものではないが、『「いき」の構造』の英訳において、さきほどの「味会」は、そもそもキーワードとして認識されていない。それぞれ該当する部分を読んでみると、次のようになっている。

Strictly speaking, meaning that relies on concrete experience is to be sensed through intuitive understanding.〔原文：具体性に富んだ意味は厳密には悟得の形で味会されるのである。〕

After all, *iki*, too, was a taste determined by a people. It follows that appreciation of *iki* must be based on a *sens intime*, an "intimate sense" in the truest sense of the word.〔原文：「いき」も畢竟、民族的に規定された趣味であった。したがって、「いき」は勝義における sens intime によって味会されなければならない。[*19]〕

先立って見たように、九鬼の原文では二回とも、この言葉は「味会する」という動詞のかたちで用いられていた。他方、英訳ではこれに「be sensed」「appreciation」という異なる品詞・訳語があてがわれている。いずれもその本義からまったく遠いわけではないが、すくなくともこの「味会」なる言葉に、取り立てて大きな注意が払われているとは言いがたい。

それでも九鬼は、「会得」でも「感得」でもなく、あえてこの「味会」というぎこちない言葉をその結論に登場させた。その理由は明らかだろう。それはほかでもなく、「我」と「汝」の邂逅が、まずもって味わうべき対象にほかならないからだ。『「いき」の構造』の結論で唐突に導入されるこの語彙は、九鬼のいう「出会い」が——本来の意味での——美《エステティック》的な経験にほかならないことを証し立てている。[*20] われわれの運命を時に大きく左右する偶然の出来事は、それを運命として引き受けるかどうかにかかわらず、まずもって味会さるべき対象である。おそらくそのように言うべきだろう。

わたしたちは生きている。そして生きるということは、さまざまな生物や事物と日々「行きずり」の関係を結ぶということである。それは、かならずしもわかりやすい「縁」によるものとはかぎらない。むしろ、九鬼が言うところの「行きずり」の邂逅は、異なるものたちのあいだにごく恣意的な「しるし」が見いだされるという、その事実のみを担保として成立する。

この「わたし」にもまた、直接的にはいかなる縁もゆかりもない、しかしある理由によって、長らくおのれの思念に棲みつくことになったひとりの人物がいる。その人は、わたしが生まれたその日から遡ること一世紀、すなわちちょうど一〇〇年前に生まれた。わたしとその人をつなぐ「しるし」は、今のところただそれだけである。

その人は、内実は大きく違えど、およそ五歳年下の九鬼周造と同じく「美」に殉じた人物であった。そしてこの人は、おそらくわれわれの文化圏において、もっともよく知られた「食客」でもあった。それが、われわれが次に喚び出すべき人物、北大路魯山人である。

第八章

坐辺

ここまで見てきたように、食客はおのれの「口」を特権的なトポスとして、ある特殊な経済圏《エコノミー》を打ち立てる。つまり、食客はみずからの言葉を資本としながら、それを食物をはじめとするさまざまな物資と交換するのだ。かつて、ミシェル・セールが食客を「世界最古の職業」と言ったのも、伝統的に人間が「言葉をもつ動物」と見なされてきたことに鑑みれば、実はそう奇異なことでもない。われわれの口は、言葉と食物が同時に往来する唯一の器官である。

ただし、ここでは依然として言葉《ロゴス》が中心にある。おそらくそれは、西洋古典における食客《パラシートス》に立脚する議論がもつ、ひとつの限界であるだろう。ここまでわれわれは、ルキアノスの『食客』におけるシモンの言葉を導きとして、もっぱらその営為を言語との関係のもとで考察してきた。それが悪しきロゴス中心主義でないかと言われれば、われわれとしては口を噤まざるをえない。

いっぽう、古今東西の食客たちに目をむけてみれば、かれらが得意とするのは、ただ気のきいたお喋りのみとはかぎらない。むしろ、われわれの脳裏に映じる食客たちは、言葉のわざのみならず、書や画業に抜きん出た、いわゆる「芸術家」たちを数多く含んではいないだろうか。

なかでも、世に出たばかりで経済的に余裕のない芸術家たちは、しばしば文人や商人たちの食客となり、その膝元でさまざまな見識を深めたものである。北大路魯山人（一八八三－一九五九）もまた、三〇歳から数年のあいだを食客として過ごし、その後ほどなくして書家、料理人、陶芸家として大きな飛躍をみせた芸術家のひとりであった。

理を料ること

料理とは「理を料《はか》る」ことである。

北大路魯山人の著書には、この字義にちなんだ教えが繰り返し登場する。[*1] もともと書家・篆刻家《てんこくか》として世に出た魯山人は、いまではもっぱら——いわくつきの——美食家にして料理人として知られていよう。古物の鑑定業のかたわら、一九二一年に美食倶楽部、二五年に星岡茶寮を創業した魯山人は、さらにみずからが理想とする食器を手がけるべく、北鎌倉に七〇〇〇坪におよぶ敷地を獲得し、二六年より本格的に作陶を始めた。このとき魯山人四三歳。かの柳宗悦(一八八九-一九六一)らが「日本民藝美術館設立趣意書」を発表したのと、ほぼ同時期のことである。古今の書画や陶芸のみならず、飲食をめぐるあれこれにも広く通じた魯山人の仕事は、畢竟「理を料る」ことを共通の原則としていた。おそらくそのように言うことができる。

理を料ること。つきつめればそれは、五感を通しておのが受容するものをただしく批評し、その真価を見極めることにある。げんに魯山人その人が、芸術家や料理家である以前に、おのれをひとりの「批評家」とみなしていたことは特筆すべきである。一九二五年、四二歳にしてはじめてまとまった作品を公にした「魯山人習作第一回展」において、かれは次のように記している。

多人数の中には、小生の作品を鑑て天才だなどと称賛する人がある。それらの人には甚だ悖礼な申分ではあるが、そう言う人々は概ね芸術上の理解に乏しい鑑賞の力不十分な人であることを思わずにはおられない。この種の人は天才連発癖とでも言うようなものがあって、一寸感心するとか自分に出来ないと感ずると直ぐ天才を極めたくなるのではなかろうか。小生の見るところ小生の作品は、割烹を除く外は、総て下手の横好きである以外、何物も尚ぶべきを有さない。むしろ小生は批評に長じているという自信はある。批評となると洋の東西古今を問わず、芸術壇上を得意としてとかくの批判を下す癖をもっている。（「自己の作品に対して一言す」[*2]）

ここで「批評」という言葉には、一般に想像されるよりもはるかに実践的な意味が賭けられている。魯山人のいう「批評家」とは、ただ物事の良し悪しを見分けることのできる人間であるにとどまらず、その鋭敏な目でもって「つくる」ことに長けた人でもあった。すくなくとも「批評家」魯山人は、ただ対象をあれこれ論評するだけで終わるような人間ではなかった。それはこの人物が遺した、書画から陶器までの膨大な作品が証言するところである。

魯山人の足跡

ここから魯山人の思想を論じるにあたって、まずはその壮絶な生い立ちに触れておかねばならない。一八八三年三月二三日、京都・上賀茂神社の社家である北大路家に生を亨けた魯山人（房次郎）は、生後まもなく滋賀県坂本村の農家に養子にやられる。その半年後には、京都府上京区の服部家に入籍。さらに六歳のときに服部家を離縁され、同じ上京区の福田家に入籍している。どの家でも貧困にあえいでいた房次郎は、尋常小学校を卒業した一〇歳のときに丁稚奉公を始め、それからは看板書きを筆頭に、さまざまな仕事をこなしつつ糊口を凌いだ。養父であった福田武造が木版師であったことも影響してか、いつしか東京に出て書家になることを志すようになる。

その後は知られるように、書家・篆刻家として頭角を現した魯山人は、次いで料理人として、さらには陶芸家としてその号を轟かせることになる。北大路房次郎は、養子にやられた関係で一時は福田姓を名乗り、なおかつその時々で鴨亭、大観、魯卿といった複数の号をもった。篆刻の仕事で世に知られるようになった三〇歳前後の魯山人は、福田鴨亭であり、福田大観であった。今われわれが知る「北大路魯山人」は、ふたたび北大路家に復帰したこの人物が用いた、最終にして最大の号である。

書画、料理、陶芸のいずれをとっても、魯山人が学校で学んだものはひとつもない。かつて養父に京都市美術工芸学校（現・京都市立芸術大学）への進学を請い求めたこともあったが、福田家の経済事情がそれを許すはずもなかった。他方、当時のおもな収入源であったペンキ絵をはじめ、かれの技芸ははじめから周囲によく評価された。そのような魯山人にとって、芸術とはいっさいの誇張ぬきに「生きるための技術」にほかならなかった。

なかでも象徴的なのが、弱冠二一歳で日本美術展覧会の授賞式に招かれたときの、次のようなエピソードである。一九〇四年、魯山人は同展「書」の部に隷書「千字文」を出品する。千字文とは、文字通り四字一句からなる全二五〇句の大韻文であり、そのすべてに異なった漢字がもちいられている。これを筆写するには尋常ならざる努力と集中力とが要求されるが、魯山人はこれを隷書で書き上げ、みごと日本美術展覧会の一等賞(二席)を獲得した。

これがどれほど例外的な出来事であったかを示す証言がある。魯山人によれば、このとき授賞式の場にいた人々は、かれを除いてみな髭をたくわえた老人ばかりであったという。ではこの二〇歳そこその人物は、いったいどのようにして、それほどまでの書の技術を身につけたのだろうか。のちに魯山人は、自分の書のすべては「教本」によって学んだものだと回想している。

私は十五、六歳の頃、京都におりまして、独学的に書の研究をしきりにやっておったのでありました。その頃「一字書き」ということが京都で流行しまして、このテキストの型(五寸に七寸ぐらい)の紙に一杯に一字を書いて競技に応じていたのであります。これはまったく先生なしに独習をやっていたのでありました。この一字書きの競技は何千何万となく募集をするものでありまして、万の中から百の優書が選ばれ、その百の中から十の秀逸が選ばれ、十の外に天地人が選ばれて等級がつくのであります。私の書はある時のごときは百の中にもはいり、十の中にもはいり、天地人の中にもはいるという調子で、たいがいは優賞を得たのであります。(「能書を語る」[*3])

その後の足跡を見ても、魯山人が書や料理や陶芸を、師について本格的に習った形跡はほとんどない。それどころかこの人物は、書や画を特定の師について学ぶことを、悪習として戒めてすらいるのだ。魯山人は、日本美術展覧会での受賞前後に巌谷一六や日下部鳴鶴といった大家のもとを訪れている。だが、かれはその教えに大いに失望し、後年さまざまなところでこのように語っている。

なお、書の学び方について、現代人の書を手本として学ぶということは、私は考えものだと思います。私は初め巌谷一六翁についていろいろ聞きましたが、一六の書体、一六の書く特色ある書体を、どうしたら器用に真似られるかということしか教えてくれない。字の根本学などは教えてくれません。字の根本学などは教えてくれないが、どうしたら書けるかという指先の働かせ方を教えてくれた。一六の書風は、このような字でありまして（一六の書体を示す）こう筆を一辺《ママ》はなして、また書く。これはどういうわけでこんなことをするか、巌谷一六翁がなににについてこんな癖を学んだか、鳴鶴翁がなににについて習ったか、そこの書生等に探りを入れて聞いたのであります。そのうち、彼らの虎の巻とする手本も判りまして、それ以来、私は直接法帖から手習いすることに致しました。（「芸術的な書と非芸術的な書」[*4]）

のちに「独歩」の二字を掲げる魯山人を象徴するようなエピソードである。料理についても、これとまったく同じことが言えた。これも本人の証言によるが、魯山人は子供のころから食材に目端が利き、味の良否の判定においても人後に落ちることがなかった。九歳の春から始めたという飯炊きはかれのもっとも得意とするところであり、爾来数十年にわたり、美食に対する執着を絶やしたことはなかったという。こうした言葉がたんなる大言壮語でないと思わされるのは、われわれがその後の魯山人をめぐるさまざまな「伝説」を知っているからだ。この人物を広く知らしめた美食倶楽部は、もともと大雅堂での仕事のついでに開いていた「昼食会」が噂となり、それが嵩じてごく少数の客をとるようになったものである。この会員制の食事処は、東京の有力者のあいだでたちまち話題となり、第一次世界大戦後の不況のおりにもかかわらず、すぐに一〇〇人あまりの会員を集めた。一九二三年の大震災で大雅堂が焼失したあとも、常連客の後押しによって、美食倶楽部はさほど間をおかず営業を再開したという。

美食倶楽部にしても、のちの星岡茶寮にしても、魯山人の料理はどこかで修業をして習ったという種類のものではなかった。つまりその料理は、そのいっさいが「独学」の賜物であった。

それればかりではない。魯山人が星岡茶寮の開業と前後して陶芸を始めたのも、そもそもは茶寮で使うための大量の食器を必要としたためであって、それまでどこかの窯で長年修業を積んでいたわけではない。食客の時分に須田菁華のもとで轆轤《ろくろ》を回し、星岡窯の開業前に宮永東山のもとでひと通りのことを学んだのが、せいぜいそのすべてである。ただひとつ、魯山人が戒めとしていたのは、いやしくも陶芸家を自称するのであれば、轆轤を職人に任せるなどあってはならず、作家が土いじりから絵付けまで、すべてを自分で手がけねばならないということだった。これを当人がどこまで実践しえていたかは微妙なところだが、当時すでに四〇歳を超えていた魯山人は、北鎌倉に星岡窯を構えると、以後おのれのほとんどすべてをかけて作陶に打ち込むようになる。

ことほど左様に、魯山人の生涯は「師事」とは縁遠いものであり、むしろそれを積極的に忌避していたようなところがある。はじめに東京に出たころは書家・岡本可亭（岡本太郎の祖父）のもとで仕事をしていたが、それも書画の世界における「師事」とはやはり異なる。魯山人はひとりの「人間」から学ぶことをよしとせず、「自然」や「物」——すなわち万物——から学ぶ姿勢を生涯つらぬいた。むろん渡世の必要から、かれが交流をもった人間は数知れない。むしろ現実の「人」とのつきあいは、いつも濃密なものであった。だが魯山人の美学において、そこに「人間」の影が希薄であることも、それと同じく確かなことであるように思われる。もうすこし進めて言うなら、魯山人の筆を通してみる「人間」とは、「自然」を媒《なかだ》ち「芸術」を生み出すための、たんなる器にほかならないのではないか。

魯山人における「人間」

ここからは魯山人における「人間」の問いについて、いましばし言葉を費やしてみたい。ただしことわっておくが、それはこの芸術家の「人格」や「人間性」をめぐって、なにがしかの評価をくだそうとする議論とは一線を画している。

あらかじめそのような防衛線を張っておかねばならないのは、この「人間」という主題が、おそらく当の人物をめぐる毀誉褒貶をつよく連想させるものだからである。今となっては確かめようもない同時代人の証言をどのていど鵜呑みにするかはともかく、ごく客観的に見て、魯山人が高潔な人格の持ち主であったと強弁するのはかなり無理がある。[*5]

魯山人の人格を問題とする証言には事欠かない。それは青山二郎や白洲正子といった著名人から、かれの周囲にいた家族や職人にいたるまで、きわめて広範囲におよぶ。柳宗悦をはじめとする同時代人への歯に衣着せぬ物言いもさることながら、周囲の人間にふるった横暴な振る舞いも数知れない。さらにその遠因を、先に見た不幸な生い立ちに求める言説もまたありふれている。ひるがえって、もっかの議論は、かれの人格を（今更ながら）攻撃したり、あるいは（その反対に）擁護したりすることを目的とするものではない。われわれの関心は次のようなところにある。終生、ひとりの人について学ぶことをよしとしなかった魯山人は、それでも師に教わることを推奨してやまなかった。その思想内容にいささか変わったところがあるとすれば、その師が「人」ではなく「物」であったということである。

その理路はこんな具合であった。よいものをつくるには、まずよいものに囲まれていなければ始まらない。日常的に美しいものに触れることによってこそ、ひとは美しいものを見分け、ひいてはそれを生み出すことができるようになる。それを教えてくれるのは「人」ではなく「物」である。かく言う魯山人も、あまり社交を好まないひとだった。この人物はむしろ、人との交わりを最小にとどめ、むしろ先人たちが残した宝物のごとき作品から学ぶことをよしとした。

その最たるものが、「坐辺師友」という言葉に託された次のような思想である。すぐれた師友と交わることの有用性を説いた孔子の教えに賛意を示しつつ、魯山人は次のように言う。

> 益友と交わることの有益を説き聞かせた者は孔子である。誰しも生まれながらに、それを感づいていない者はなかろうが、孔子のような人から明瞭にいわれてみると、また感を更たにするというもの。しかし、それは生存中の人間のことを指していると決められてはいないだろうか。益を受くる者もとより生存者、益を与うる者もとより現存者なるかのように世の多くは解釈している。しかし、益友を人間のみにかぎることは、あまりにも当然すぎて莫迦正直すぎる。（「坐辺師友」強調引用者）[*6]

ここで魯山人が説いているのは、そう複雑なことではない。孔子が教えるように、益友と交わることは重要である。だが、そこでいう「益友」が、生きた人間である必要がどれほどあろうか。われわれはむしろ、死んだ人間の遺した過去の作品を師とし友として、そこから多くを学ぶことができる。ここで「師」や「友」といった言葉は、人から物の次元へと、その領域を大きく拡大させている。

魯山人は、「人」の代わりになるものとして「物」に学ぶことを推奨した——さきほどの思想を、そのように要約するのはいくぶん単純にすぎる。本当によき師友に交わろうとすれば、その相手は

「人」でなく「物」でなければならない。かれはみずから編集する雑誌『独歩』において、「坐辺の師友」と題した古物の紹介欄を設けていた。そこで魯山人は、現今の陶芸界の活況に冷やかな視線を送りつつ、むしろ陶芸界が「人なき陶界」へと発展することを期待している。[*7] この「人なき陶界」という魅力的な言葉が意味するところは詳らかではないが、いずれにしてもそれが、ただ闇雲に師の技術を継承すべしとする精神論から縁遠いものであることは明らかである。

つきつめると、魯山人がいう「先生」とは、生きた人間ではなく、過去の偉大な作品のことである。[*8] 存命の書家や画家について、その人の筆法のみを学ぶことは、すでに旧き悪習に属する、とかれは言う。われわれがほんとうによいものをつくるには、「師を無数に」選ぶことが大切なのである。

> 私はあえて美術青年に警告してみたい。君等が師と仰ぎ、師事せんとするならば、少なくともまず二百年、三百年の昔の美術に注目せよ。五百年、千年、二千年、否もっともっと先の年代になる幾多の作品に眼を移して視よ。そして、その年代の人間は、天地を貫く自然の美妙を、いかに観たか。そしていかに道理にそむくことなく、素直に美しいものを造り遺していったかに注目せよ。無理やりに生き続けている今時の先生などに眼をくれて、あれこれ調法《ママ》しようとか、金をかけるなどは、自分の生き方に眼が覚めていないこととなる。（「青年よ師を無数に択べ」[*9]）

ここまで見てきたように、美の探求において、魯山人は「人」から学ぶことをかならずしも奨励していない。むしろ、おのれの経験がそれを裏づけていると言わんばかりに、かれは世間で大家とされている人物をこきおろすことを常としていた。こうした魯山人の芸術思想を総体として見たとき、そこではかれの破天荒な実人生とは異なる次元で、生きた「人」に対する冷ややかな視線が浮かび上がってきはしまいか。

魯山人の「人」に対するまなざしは、いくぶん複雑なものである。とりわけ書について語るときに顕著なのだが、つきつめれば書とは「人」であるとこの人物は言う。こうした物の言いかたは、料理や焼物について語るときにもほとんど変わりがない。いわく、よい作品をつくるには、まずその器となる人間をつくらなければならないのだ。

要するに人物が出来ておらなければならぬ。人物が出来るというのはどういうことかと申しますと、人物の出来る修養をしなければいかぬということでありまして、今度は手習いでなく人物をつくる方が根本問題であって、これが一番書道の上にも肝要なことであります。書を習うということ、即人物をつくるということになるのであります。(「習書要訣」[*10])

こうした字面だけを見ると、魯山人もまた、料理や書画をめぐる技術的な問題を「味道」や「芸道」とよばれる道徳的議論へと回収しているように見えなくもない。

しかし、ここで魯山人がいう「人物」が、終始空疎な記号でしかないことは注目すべきだろう。よくよく読んでみると、いましがた引いた「習書要訣」の一節は、ほとんど何も言っていないに等しい。人間かくあるべし、といういっさいの具体性を欠いたその「人物」とは、正味のところいったい何なのか。すくなくとも魯山人が「書は人である」というとき、かれが書を通じた道徳的な陶冶のことを話題にしていないことは明白である。

それどころか魯山人は、日々の修練によってその人物が大きく飛躍する可能性すら、ほとんど考えていなかったようなのだ。こちらは料理にまつわる文章において顕著だが、料理人の資質は、ひとえに鋭敏な舌をもっているかどうかという「才能」にかかっている。肝要なのはその才能を開花させられるか否かであって、そもそも鋭敏な舌をもたない料理人は、あえて育てるに値しないと魯山人は考えていたふしがある。よい味覚をもっていることは、「天幸であり、天爵であり、天恵である」とまでこの人物はいう[*11]。星岡茶寮で、弱冠二二歳の松浦沖太を三代目の料理長に登用したのも、料理人に不可欠な「舌」を後天的に鍛えることはできないという確固たる思想によっている。

天才と自然

魯山人が好む孔子の言葉に「人飲食せざる莫《な》きなり、能く味わいを知る鮮《すく》なきなり（人莫不飲食也、鮮能知味也）」というものがある。人はみな飲食するが、味のわかる人間は珍しい、というほどの箴言である。この言葉をめぐってはさまざまな学説があるが、さしあたり今は問題としない。肝腎なのは、魯山人がこの言葉をどのような意図のもとに用いているか、ということである。すでにご承知のことと思うが、魯山人は「味がわかる」かどうかはひとえに「才能」の問題であると考えている。経《けい》典《てん》がそのような内容を含んでいないことは明白だが、魯山人はそれを知ってか知らずか、これをおのれの「天才」説のためにたびたび引き合いに出すのである。

その思想は、たとえば次のような文章において極まる。

> 芸術は技巧の優れたものではないことを確認する者が少ない。技巧の優れた腕の努力の能くするところであるが、芸術に限っては唯手腕のみ如何に勝れたりとも、それのみの能くするところではない。特に勝れたる人格の精進が作す不思議である。即ち人間そのものの問題である。腕が画を描くのではない、人間が画を描くのだ。他に問題はない。人間だ……人間だ。私は僭越ながらこれを断言して憚からない。その人間はと言うと、それは生まれつきと決定している。そしてその天才は天から雨の降る如く自然の天与である。勉強の賜物ではない。勉強は単なる肥料にしか過ぎない。（「魯山人小品画集　自序」強調引用者）[*12]

このような物言いは、人間の後天的な努力をほとんど否定しているに等しい。これをつきつめると、すぐれた作品を生み出す人間の根本はもっぱら天性にあり、経験的な技術の習得はあくまでその補助にすぎないことになる。

これは言うまでもなく暴論である。だが、魯山人の思想を知るものにとって、このような物言いにさほど驚くべきところは見当たらない。というのも、あらゆる芸術を生み出すのが人間であるとして、その人間を生み出すのは、「自然」を措いてほかにないからである。

自然──「人」より「物」について学ぶことをよしとした魯山人だが、最終的にその範とするところは大いなる「自然」に帰着する。

私の人生は、生来美が好きだ。人の作った美術も尊重するが、絶対愛重するものは自然美である。「自然美礼賛一辺倒」である。山でも水でも石でも、草木いうにおよばず、禽獣魚介、その他なんでもござれで、みなが美しくてたまらない。(「私の人生」[*13])

そして私は殊さらに自然の風物を愛します。自然美なしの生活は私にはありません。佳器玉堂のみでは私は満足しません。自然美と共に暮す私の日常生活には未だ後悔の念をいだいたことはありません。自然美は私の神様であり、名器名品の美術は私の師友として敬意を表しています。

(「この頃の私」[*14])

とりわけ北鎌倉に移ってから、魯山人の「自然美礼賛」はますます露骨なものとなる。しかしそれは、人生も後半に差しかかってはじめて芽生えてきたものというより、この人物がもともと持っていた一貫した思想と考えるべきであろう。

もとより魯山人は、料理の秘訣は素材のいかんによると言ってやまなかった。料理の根本は畢竟よい食材を選ぶことであり、調理によってそれを活かすことはできても、それ以上のものとすることはできない。ここから、料理のみならず芸術一般においても、「自然」こそがすべての根本なのだとする結論が導かれることにはいささかの不思議もない。

ただその場合、おそらく次のような結果になりはしまいか。もしもすべては自然の賜物だとすると、それまであらゆる分野で才能を開花させてきた魯山人もまた、この「自然」の恩寵に導かれてきたにすぎない——以上の論理を貫徹するなら、おそらくそのように言えてしまうのではないだろうか。すべては自然の天与であったということは、それまで数知れぬ苦境を乗り越えてきたおのれの人生が、ただの運命——すなわち偶然——にすぎなかったとみとめるに等しい。しかしこの人物が、そんなことをみとめる姿はつゆほども想像できない。魯山人の芸術思想には、こうした決定的な分裂がある。ここまでの議論をふまえて、われわれが最後に考えたいのはそのことである。

魯山人とカント

書、料理、陶芸の各分野において、魯山人には生前から熱烈な信奉者がいた。丁稚奉公を終え、一六歳にしてすでにペンキ絵で十分な収入を得ていた房次郎は、その実力もさることながら、これと決めた他人に取り入ることも、けっして苦手とするところではなかった。魯山人が年若くして「師友」たる逸品の数々にふれることができたのは、かれが内貴清兵衛や細野燕台といった文化人の食客であったことと大いに関係していよう。

ここまで見てきたように、魯山人は幼いころから食に対して尋常ならざる執着を見せ、書画においても早いうちから類稀なる才覚を発揮した。他者から懇切な指導を受けずとも、おのれの目と腕と舌でもって、周囲に有無を言わさぬ結果を出しつづけてきた。ここには、おそらく次の二つの能力をみとめることができる。ひとつにそれは、自然やそれ以外のものの形状をただしく把握する「模倣」の能力である。二一歳の魯山人の転機となった隷書「千字文」などは、こうした模倣の能力が発揮された最たるものだろう。そしてもうひとつが、世間の評価にかかわらず、ものの良し悪しをただしく見分けることのできる「批評」の能力である。

はじめにものべたように、魯山人はおのれを当代随一の「批評家」と見なしていた。その「批評家」魯山人の原型をかたちづくったのは、まぎれもなく内貴清兵衛や細野燕台のもとにいた食客としての数年間であった。

批評家の中村光夫（一九一一 - 一九八八）は、晩年の魯山人との面会のおりに、ある興味深い質問を投げかけている。「最後に僕は、これは愚問と聞えるかも知れないがとことわつて、「山人は自分で自分がなりたいものになつたのですか」ときいて見ました。馬鹿げた失礼な質問ですが、これは僕が自分の現状にいつも不満なので、誰か幸せさうな人を見るときいて見たくなるのです」。

これに対して魯山人は、「さうです。むろん自分のなりたいものになつたわけです」と答えたという。中村が「それは自分の力でですか」とふたたび問うと、魯山人は「さうです。自分の力ですね」と即答した。中村はこの答えに得心するいっぽうで、ただしく次のような疑問を呈している——「さうだ、さうなくてはならない。このくらゐの齢になつたら、かう云ひたいものだ、と僕は実に羨しい気持で思ひました。しかしきつとかうは行くまい。それに山人にしても、芸術には「自然のたすけ」をあてにしながら、芸術家である自分にはそれを認めないのは矛盾ではないか。それとも芸術家としての祈りはあつても人間としての祈りは知らぬところに、この老合理主義者の自然な面目があるのだらうか」[*15]。

この中村光夫の指摘はもっともである。こうしたやりとりの背後に透かし見えるのは、おのれひとりの力で人生を切り拓いてきたという強烈なる自負と、書画や料理はあくまで自然の賜物であるという美学との、修復しがたい分裂であろう。

かつて、魯山人のなかに「美」の共同体を喰い破る「崇高」を見たのは大澤信亮だった。大澤の「批評と殺生——北大路魯山人」(二〇一〇)は、カントの『判断力批判』をはじめとする諸論とともに魯山人の核心に迫った決定的な論文である[*16]。ただしのちに大澤は、「カントを使って魯山人を語る」という方法が、「いかにも日本の[……]批評の文脈に拘束された」ものであったと自己批判している[*17]。こうした留保もわからないではないが、わたしの見るところでは、魯山人を読むさいにカントが出てくるのはほとんど当然の結果であるように思う。ただしそれは、『判断力批判』前半の「崇高」

論（第二三－二九節）ではなく、もっぱら中盤の「天才」論（第四六－五〇節）にかかわっている。

さきほどの中村光夫による疑義を、ここでは次のように敷衍してみたい。魯山人においては、〈自然－人間－作品〉という超越的な経済圏《エコノミー》と、〈人間－作品－人間〉という水平的な経済圏《エコノミー》が、それぞれ拮抗するかたちで共立している。そして、自然を唯一無二の規範とする魯山人の美学は、そこにある解消不可能なアポリアを招き寄せずにはおかなかった。つまりこういうことである。かりにすべてが自然のエコノミーのもとにあるのだとしたら、ひとはおのれの人生に、いかなる可能性も見いだせないことになってしまう。あらゆる芸術は天賦に由来し、すべては自然の定めるところにある――事態がほんとうにそのようであるとしたら、およそいかなる人間も、おのが運命をみずから切り拓くことはできないことになってしまうだろう。

カントの天才論にも、これと同様の――しかしはるかに洗練された――構図がある。カントの『判断力批判』において、自然のはたらきは「天才（Genie）」を媒介として人間に伝達される。カントによれば、天才は「独創性」と「範例性」という二つの性格をそなえている。つまり、天才がつくり出すのはたんなる先達の模倣ではない（＝独創的である）が、にもかかわらず、それは後進に模倣されるべきものとして出現する（＝範例的である）。こうした天才の能力は、まさに自然が人間に与えるところのものであるとカントはいう。

天才は、どのようにしてみずからの産物を仕上げるのかを、自分で記述したり、学問的に示したりすることはできない。むしろ天才は、自然として［als *Natur*］規則を与えるのである。したがって、ある産物を創造したものは、その産物をみずからの天才に負っているとはいえ、その創造者本人が、いかにして、おのれのなかに、その産物のための理念が生じたのかを知らない。またその理念を、思うがままに、あるいは計画的に案出して、同じような産物を生み出すべしという指令を、他者にたいして伝達することもできないのである。*18

ここに見られるのは、つまるところ〈自然‐人間‐作品〉を結ぶひとつの線にほかならない。カントにおける「天才」概念の核心をなすこうした伝達構造を、ジャック・デリダは「エコノミメーシス」とよんだ。*19 天才は自然を模倣する。ただし、それはたんなる自然の外形の模倣ではなく、独創的にして範例的な、自然の産出力それじたいの模倣である。こうした発想が、大いなる自然と、それに支えられた恩寵のごとき経済圏《エコノミー》を基盤としていることは言うまでもない。

魯山人もまた、神がつくり出した「自然」の美しさを心から信奉していたことは疑えない。だがそれは、腕一本で「自分のなりたいものになった」と称するおのれの姿と、どうあっても折り合いのつかないものだった。そして魯山人にとって、こうした自然の支配に抗うための方法こそ、〈人間‐作品‐人間〉という水平的な経済圏《エコノミー》をそこにぶつけることではなかったか。「人」は「物」に交わり、そこから学ぶことができる。そこに「物」があることによって、その傍らにいる「人」と「人」もまた、そのつど新たなしかたで結ばれる。ほかならぬそのことを、魯山人は食客としての経験から学んだのではなかったか。

むろん、いましがた素っ気なく「物」とよんだ数々の芸術作品もまた、創造主としての自然から完全に切り離されているわけではない。だがその「物」は、自然から人間へと継承される模倣《ミメーシス》の力場を、横にずらして攪拌することができる——かもしれない。何ものかの傍らにあって、その隣人に決定的な影響をおよぼすもの。「坐辺」にいる「師友」とは、その意味でまさしくひとつのパラサイトであろう。いくぶん大げさに言えば、芸術とは、おのが運命を左右する他者の別称にほかならない。

一九五九年一二月二一日、北大路魯山人は横浜十全病院で亡くなった。享年七六歳。前立腺肥大症および胃潰瘍の術後のことだったが、直接の死因は寄生虫のジストマによる肝硬変であった。

*

一九七七年一一月一四日、詩人の石原吉郎が心不全で亡くなった。生前に編集された最後の歌集『北鎌倉』（一九七八）には、魯山人を思わせる次のような歌が収められている。

鎌倉の北の大路を往く果てを直《ただ》に白刃《しらは》の立つをば見たり

魯山人の北鎌倉旧跡はすでにない。その星岡窯をのぞく建物は、一九九八年に火事で焼失した。雇い主から緘を言いわたされた当時の管理人が、絶望の末に放火・自殺したのが原因であるという。

＊

わたしたちの傍らには、つねに何ものかがいる。

わたしたちはつねに、何ものかと空間をともにしながら、おのれの輪郭をかたちづくっている。わたしたちは、この世界から糧を得ることで、はじめてこの軀を養うことができる。そのかぎりにおいて、わたしたちは一人の例外もなく、何ものかにとっての食客である。

「真に道を知る者は、いかなる場合でも、その相手を殺してはしまわない」（「柳宗悦氏への筆を洗う」[*20]）——魯山人が柳宗悦をくさすために書いた文章はいくつもあるが、そのうちの一本に、かれはこんな文言を書きつけていた。そのあまりの唐突さゆえに、この一文は、当該テクストのなかでも異様な気配を放っている。もちろんこれは批評《クリティック》の話である。だがそれは、同じ「道」を知るものたちのさまざまな状況に容易に敷衍可能だろう。

では、その「道」がどこにも見当たらないとき、われわれはいったいどうすればよいのだろうか。たったひとつの身振りが、たったひとつのリズムの狂いが、いっさいの誇張なしに生死を分かつ《クリティカル》「非道の」空間というものがある。石原吉郎は、そこで起こった出来事をある「共生」の経験とよんだ。

食客をめぐるわたしたちの旅路は、石原吉郎のシベリアで終わる。

第九章

飲食

食客——それは、至極明快な他者としての「友」や「敵」の傍らに、ひっそりと場を占めるもののことであった。ここまで見てきたように、われわれが言う「食客」とは、古今東西の教訓譚に姿をあらわす「類型的人物」のことであるとはかぎらない。その範囲をもっとも広くとれば、それは友と敵のいずれにも含まれない「中間的他者」のことであり、もうすこし限定的に言えば、そうした二者の境界を問いなおす契機となるもののことである。

わたしたちはいつも、無数の存在者に取り囲まれている。だが、通常そこで認識の対象となるのは、そのうちのごく一部でしかない。われわれが他者をそれとして認識するのは、つきつめればその対象と何らかの利害を共にするときである。だからこそ、日常のもっとも弛緩した認識において、そうした無数の他者は「友」と「敵」のいずれかに還元されることになるのだろう。こうした認識の網目を逃れる「どうでもよいもの」がにわかに無視しえぬものとなるとき、それは「食客」としての様相を帯びはじめる。

そんな「どうでもよいもの」が、時にきわめて深刻な事態を引き起こしうるのが、たとえば飲食の場面である。通常ならばさして顧慮もされない皿のうえの死骸は、この「わたし」の軀に取り込まれることにより、そこに決定的な変容をもたらすことがある。それは「わたし」という個体を生かすこともあれば、反対にそれをあえなく死に至らしめることもあるだろう。およそ考えうるさまざまな形態の食事は、ふだん擦れ違うことのない無数の他者が——人間・非人間を問わず——盛大に邂逅する契機である。

ここまでの試みは、つまるところ次のような問いに帰すると言ってよい。すなわち「我」と「汝」の絶対的な非対称性を前にして、それでもなお、わたしたちが新しいやりとりを始めることができるとしたら、それはいかにして可能なのか。この問いは、具体的な場面によって次のような問いに変奏することもできる。たとえば、わたしたちは「食べるもの」と「食べられるもの」の絶対的な非対称性を前にしてなお、いかにして食べることができるのか。この問いは、農業史家の藤原辰史が『分解の哲学』で投げかけたひとつの問い、すなわち「なぜ、食べる方が「上位」で食べられる方が「下位」なのか」という問いに触発されたものである。[*1] これは、日々なにかを食べなければ生きていけないわれわれの現実を超えて、思想の問題として正面から論じられるべきものだ。「狩猟の物語では、食われるものがみずから語らなければ、食らうものがつねに英雄となる」[*2]——これは、ナイジェリアの作家チゴズィエ・オビオマの『小さきものたちのオーケストラ』に登場することわざだが、まさしくこの「食われるもの」の語りを、わたしたちは必要としているのだ。

あるいは、そもそも「宿主」と「食客」として割り当てられた非対称的な立場を疑ってみること。たとえば、以前の章でも見たように、フランス語の「hôte」は「主」と「客」の二つを同時に意味しうる。そうしたところから始めて、わたしたちはふだん馴染みのある「主」と「客」が反転する場面を、さまざまなしかたで探求することもできるだろう。

いずれにせよ、ここまでわれわれが一貫してこだわってきたのは、つきつめれば「口」というひとつの器官である。飲食と発話を同時につかさどるその部位を唯一無二のトポスとすることで、わたしたちは時代も地域も異なるいくつもの場面をわたってきたのだ。そして、われわれが最後にたどりついたのは、生きるか死ぬかの場面からぎりぎりのところで生還した、ひとつの比類なき「口」の存在様態である。

石原吉郎の「共生」

石原吉郎（一九一五－一九七七）が、八年におよぶシベリア抑留を経て舞鶴港に降り立ったのは一九五三年一二月一日のことだった。一〇代の頃から文芸に親しみ、その語学力を買われて戦時中は諜報活動に従事していたこの人物は、帰国後に膨大な量の詩を書きはじめ、なかでもその第一詩集『サンチョ・パンサの帰郷』（一九六三）で日本の戦後詩に不動の地位を確立した。さらにそうしたひとりの詩人であることを超えて、石原吉郎という人物は、戦後の収容の日々を圧倒的な筆致によって綴った比類なきエッセイストとしても記憶されている。その石原がシベリアで体験したことは、一九六九年から書きはじめられた一連の文章――いわゆる「シベリア・エッセイ」――により、今日ひろく知られるところとなっている。[*3]

まずは『日常への強制』（一九七〇）のはじめに来る「ある〈共生〉の経験から」を読んでみよう。これは発表時期（一九六九年三月）から言っても、数ある「シベリア・エッセイ」のうちもっとも早い時期のものであると言ってよい。われわれのもっかの関心事でもある「共生」という言葉を掲げたその文章は、こんなふうに始まる。

〈共生〉という営みが、広く自然界で行なわれていることはよく知られている。たとえば、ある種のイソギンチャクはかならず一定のヤドカリの殻の上にその根をおろす。一般に共生とは二つの生物がたがいに密着して生活し、その結果として相互のあいだで利害を共にしている場合を称しており、多くのばあい、それがなければ生活に困難をきたし、はなはだしいときは生存が不可能になる。私が関心をもつのは、たとえばある種の共生が、一体どういうかたちで発生したのかということである。たぶんそれは偶然な、便宜的なかたちではじまったのではなく、そうしなければ生きて行けない瀬戸ぎわに追いつめられて、せっぱつまったかたちではじまったのだろう。しかし、いったんはじまってしまえば、それは、それ以上考えようのないほど強固なかたちで持続するほかに、仕方のないものになる。これはもう生活の智恵というようなものではない。連帯のなかの孤独についての、すさまじい比喩である。(「ある〈共生〉の経験から」[*4])

最後にいささか唐突に導入される「連帯のなかの孤独」については、のちほど詳しく見ることにしよう。ここで石原が「共生」とよぶ事態は、ここまでわれわれが「寄生」と言ってきたものと、おおむね置換可能なものである。ここに登場するヤドカリとイソギンチャクは、互いを拠りどころとすることにより、それぞれの利害を共にしている。それは、おそらく石原が言うように「せっぱつまったかたちで」始まったのであり、なまじ人道的な「共生」という言葉をあてるより、むしろ「寄生」と言ってしまったほうが実態にそくしている。本書のなかでも早々に述べておいたとおり、そもそもあらゆる共生＝寄生は、すべてそうした「せっぱつまったかたちで」始まったものではなかったか。

続けてこの詩人は、みずからにこうした考えをもたらした「奇妙な」共生の経験について語りはじめる。それは言うまでもなく、敗戦後のソ連軍による抑留を経てラーゲリ（強制収容所）に送られた直後の「未曽有の経験」のことである。つとめて客観的に書かれた、次のような一節を見てみよう。

私は、昭和二十年敗戦の冬、北満でソ連軍に抑留され、翌二十一年初めソ連領中央アジヤの一収容所へ送られた。この昭和二十一年から二十二年へかけての一年は、ソ連の強制収容所というものをまったく知らない私たちにとっては、未曽有の経験であった。入所一年目に私たちが経験しなければならなかったかずかずの苦痛のうち最大のものは徹底した飢えと、しばしば夜間におよぶ苛酷な労働である。当時ウクライナ方面で起った飢饉のため、全般的に食糧事情が悪化しており、まして私たちは一般捕虜とちがい、大部分が反ソ行為の容疑者から成る民間抑留者の集団であったため、食糧にたいする顧慮が十分行なわれなかったとしても不思議ではない。加えて、どこの収容所にも見られる食糧の横流しが、ここでは収容所長の手で組織的に行なわれ、これが給養水準の低下に拍車をかけた。（同前）[*5]

ほかの文章でもしばしば綴られるように、これは約八年におよぶ石原吉郎のラーゲリ経験のなかでも「最初の淘汰期」とよばれるアルマ・アタでのものである。具体的な時期としては、一九四六年一月から四八年八月までの約二年半。そこで経験した「共生」の実態を石原は複数挙げているが、なかでもその最たるものが、一日三回の食事の場面であった。本来なら、わずか一分の隙もない文章をそのまま引き写すべきところだが、ここではその概要のみを確認するにとどめよう。

この詩人が証言するところによれば、大部分が食器を携えてソ連に入った一般捕虜とは異なり、民間の抑留者を主体とするこの収容所にあっては、そもそも食器の数が極端に足りなかった。そのため、旧日本軍の飯盒（これが「食器」である）を最大限に活用するために、抑留者はやむなく二人一組のペアをつくることになった。収容所における「共生」のはじまりとなったこのペアを、かれらはおそらく自虐的に「食罐組」とよんでいた。「二つの食器を二人でつつきあうのは」――とこの詩人は言う――「はたから見ればなんでもない風景だが、当時の私たちの這いまわるような飢えが想像できるなら、この食罐組がどんなにはげしい神経の消耗であるかが理解できるだろう」。慢性的な食糧不足にあって飢えに飢えていた抑留者たちは、飯盒の三分の一に満たない粟粥を「あっというまに食い終ってしまう」。こうした食糧をめぐる争いがいつか暴力的な争いに転じうることを懸念した抑留者たちは、知恵を絞って、どうすれば公平な食事が取れるようになるか、という方法をおのずと考えるようになった。

まず、第一の方法として考えられたのは、同じ組になった二人が厳密に同じ寸法の匙を手に入れ、交互に一匙ずつ食べるという方法である。しかし、この方法は長続きしなかった。そもそも、こうした環境にあって同じ大きさの匙を手に入れるというのは至難の業であり、またこの方法では、食事のあいだ相手の匙のすくい加減を監視するという煩わしさを免れることができなかったからである。

次に、第二の方法として考えられたのは、飯盒の中央になんらかの仕切りを立てて、その内容物を折半するという方法である。しかしこれも、第一の方法と同じく長続きしなかった。というのも、食事が粥などのときはこれでほとんど問題はないが、豆のスープのような液体の場合、飯盒に沈んだ豆を公平に二分できず、仕切りの隙間から水分が相互に逃げるおそれがあったからである。

そして、最後の方法としてついに定着をみたのが、空の罐詰を二つ用意して、そこに飯盒から別々に盛り分けるという方法だった。このやりかたが好都合だった理由のひとつとして、ソ連の罐詰の規格がせいぜい二、三種類しかなかったために、同じ寸法の空罐を入手することが比較的容易であったということが挙げられる。しかし、この方法にもまったく問題がないわけではなかった。たとえば、柔らかい粥の場合はそのまま二つの罐詰に均等に分ければよいが、これが固めの粥の場合、押し込む強さによってそれぞれの分量は異なってくる。そのため、一人が飯盒から空罐に分配するあいだ、もう一人はその手許を終始凝視していなければならない。また、そうした長い時間をかけた分配が終わると、次にどちらがどちらの罐詰を取るかという問題が出てくる。そこで多くの場合、片方がひとつの匙をどちらかの罐詰に入れて、もう片方が背を向けた状態でどちらを取るかを選択するという方法がとられた。

この「食罐組」については、郷原宏による貴重な証言がある。それによれば、一九七〇年代に詩誌『長帽子』の合評会に定期的に招かれていた石原吉郎は、合評会が終わって食事の時間になると、決まってこの「食罐組」の作法を身ぶり手ぶりで実演してみせたという。毎回のことでみな辟易させられたというが、ひるがえってその事実は、この「共生」にまつわるエピソードが詩人にとっていかに重要なものであったかを物語っている。[*6]

究極の孤食

さて、こうした具体的きわまる説明を経たのちに、石原は次のような戦慄すべき一節を書きつける。それは、あえてこういう言いかたが許されるのなら、自分の周囲にいるあらゆる他者を抹消する究極的な孤食の光景である。

食事の分配が終ったあとの大きな安堵感は、実際に経験したものでなければわからない。この瞬間に、私たちのあいだの敵意や警戒心は、まるで嘘のように消え去り、ほとんど無我に近い恍惚状態がやってくる。もはやそこにあるものは、相手にたいする完全な無関心であり、世界のもっともよろこばしい中心に自分がいるような錯覚である。私たちは完全に相手を黙殺したまま、「一人だけの」食事を終るのである。このようなすさまじい食事が日に三度、かならず一定の時

刻に行なわれるのだ。（同前）[*7]

この「未曽有の経験」を経て、石原吉郎が到達した「連帯」をめぐる思想は、大いに逆説的な相貌を帯びる。この詩人が言うように、以上のような精神を削る食事の分配において、各人が抱くのは何よりも目の前の人間に対する憎悪であり、不信感である。なぜなら、そこで他人はすべて「自分の生命に対する直接の脅威として立ちあらわれる」からだ。しかしそうした憎悪や不信感こそが、囚人たちのあいだにもっとも強い絆をもたらした――「孤独」と「連帯」をめぐるこのうえなく逆説的な思想は、まさしくここにおいて浮かび上がる。

だが、われわれはここで、「孤独」と「連帯」をめぐるこの詩人の思想を、そのまま敷衍しようというのではない。石原吉郎の「シベリア・エッセイ」を読んだ人々の多くは、その鋭い刃物のような言葉を前に、ほとんど絶句するほかない。しかし奇妙なことに、ラーゲリでの言語を絶する経験をもとに書かれたその文章は、独特なしかたで研ぎ澄まされた抽象性ゆえに、そこに読み手が任意の思想を投影する余地を残してしまう。細見和之がいうように、そこにはみずからの体験をもとにした極端なまでの「理念化」が施されており、それゆえにこそ石原の「シベリア・エッセイ」は、たんなる一個人の回想にはとどまらない普遍性を獲得してきた。[*8]事実、『日常への強制』にさらに数篇を加えた『望郷と海』（一九七二）が世に出ると、この詩人は学生運動や戦後責任論といったさまざまな「思想」や「運動」の象徴としてまつりあげられることになった。それは明らかに、石原吉郎の――詩作品ではなく――「シベリア・エッセイ」がもつ危うい磁場が引き起こしたものだと言ってよい。
だからこそ、われわれはまさにそれに抗するかたちで、この人物が直面した「具体的経験」にこそとどまってみたいのである。もうすこし言うなら、ここでいう「具体的経験」とは、シベリア抑留を経たこの詩人がその後「食べる」という営為をどのように捉えるようになったのか、ということである。

石原吉郎と「食事」

すこしでも想像してみればわかることだが、極寒のシベリアで人間のあらゆる尊厳を剝ぎ取られ、八年におよぶ厳しい労働を強いられた人間が、その後いかなる「後遺症」も引きずることなく生きることなどありえない。事実、ある晩年のインタビューのなかで、石原は次のように言っている。

ヨーロッパでは精神病理学の中に、強制収容所症候群というちゃんとしたテーマがあります。当然あるはずです。私は肉体的な後遺症はあまりありません。しかしその他の後遺症があるのではないでしょうか。時々、変な時にああまだこんな癖が抜けていないなと思うことがあります。後遺症の一つでしょうか、食事に対して極端に関心がなくなってしまいました。うまい物を食べたいという気持ちがなくなってしまいました。食べられる物なら何でもいいし、それに腹が減っても食欲がない時がちょいちょいあります。食べ物のことばかり考えていた時期があったので、その反動としてそれに無関心になり、あるいは拒絶反応があるのだと思います。(「強制収容所の一日」)[*9]

先に見たようなラーゲリでの経験を考えれば、こうした「後遺症」の発現もやむをえないと思われる。ここでの「食べ物のことばかり考えていた時期」というのは、日々極端なまでの飢餓にさらされていたシベリアでの数年をおいてほかにない。ひとつの食事が終わった瞬間に、いっさいの関心がその次の食事にむかわざるをえないような極限状態——しかしここでも逆説的なことながら、そうしたいかにも悲惨な状況における食事を、石原は「気が遠くなるほどの」幸福な食事であったと回想することがしばしばあった。

「強制収容所の一日」に戻ろう。ここで語られているように、シベリア抑留の後遺症として、この人物が食事に対していちじるしく関心を失ったというのは、おそらく事実なのだろう。ただし、ここで石原が「無関心」とか「拒絶反応」とよんでいる事態は、実際にはもうすこし複雑なものであると見ておいたほうがよい。というのも、この直前で石原本人がのべていることだが、かれは「食堂に行って食事をすると、必ず隣の人の食べ物をじろっと見る」くせがあったそうだ。そうした習性の持ち主が、たんに食事に「無関心」であるとか、あるいはそれに「拒絶反応」を示したという言いかたはいくぶん単純にすぎるだろう。それは、七〇年代に新聞や雑誌に発表された——つまり公開を前提とした──「日記」に、立川の「けっしてうまくない駅弁」や、人形町の「しるこや」についての記述があることからも、おそらく間接的に裏づけることができる。[*10]

あまり指摘されないことだが、石原吉郎の詩には「飲食」を直接的なテーマとするものが少なくない。まず、そのものずばり「食事」という詩がある。

食事・1

すべて食事には
証人を立てねばならぬ
食事は単純な
契約であるから
食事を重ねるごとに
さらに証人を
加えねばならぬ
食事は完全な空白であり
空白であることの
余儀ない納得であり

納得することへのいわば
歯ぎしりであるのだから
さらに食事は
陰惨な継承であり
この世へ置きつづける
くらい根拠であり
哀切をきわめた
儀式であるのだから
いわばはるかな
慟哭のなか
わらうべき一切は
わらうべきその位置で
ささえねばならぬ[*11]

この「食事・1」という作品は、『サンチョ・パンサの帰郷』が上梓された四年後の『石原吉郎詩集』(一九六七)に収録されたものである。短い字数での行分けのリズムといい、こちらに畳みかけるような命法といい、終わり近くの「位置」をはじめとするお決まりの熟語といい、まさしくこれは大方の読者が知る「石原吉郎の詩」にほかならない。
他方、「涙」という晩年の作品は、レストランでひとり食事をとる人間の独白めいた言葉からなる。こちらのほうは、さきほど見た食事に対する「無関心」や「拒絶反応」といった石原本人の個人的感慨と、どこか通じ合うものであるように思われる。

涙

レストランの片隅で
ひっそりとひとりで
食事をしていると
ふいにわけもなく
涙があふれることがある
なぜあふれるのか
たぶん食べるそのことが
むなしいのだ
なぜ「私が」食べなければ
いけないのか

その理由が　ふいに
私にわかからなくなるのだ
分らないという
ただそのことのために
涙がふいにあふれるのだ[*12]

これ以外にも、タイトルからして食べ物に絡めた作品を挙げていけばきりがない。ざっと挙げていくだけでも、「食事・1」「食事・2」「鍋」「皿」「粥・1」「粥・2」と、この詩人は帰国後の全期間にわたって、執拗に食べることを――あるいは食べることへの「無関心」や「抵抗感」を――問題としつづけていた。

しかし管見のかぎり、石原吉郎の作品を貫通する「飲食」の問題が、これまで正面から論じられたことはほとんどなかった。それについて考えられる理由はいくつかある。まず、これはすでに確認したことだが、ラーゲリでの想像を絶する体験を経た人間にとって、食べるという営為が抜き差しならぬ問題を構成するのは、ある意味で当然のことである。ひとたびそのような認識に至るなら、石原吉郎の作品に飲食をめぐる語彙や話題がたびたび登場することにも、とくに驚くべき理由は見当たらない。ゆえに、これはそもそも批評的な論点を構成しないという考えも当然ありうるだろう。また、それとはべつの理由として、この論題にかかわる石原吉郎の詩のすべてが、かならずしも見るべきものに相当しないということもあるだろう。さきほど全行を見た二つの詩篇――とりわけ「食事・1」――をおそらく数少ない例外として、何らかの意味で「食べる」ことに関わる詩作品のなかに、『サンチョ・パンサの帰郷』に比するような緊張感はほとんど見られない。

それは、やはり晩年に書かれ死後に出た歌集『北鎌倉』（一九七八）の諸作品についても同様である。「飲食《おんじき》を儀式と知らば箸のごと置かるるものはなにのしるしぞ」「にんげんの飢ゆるすがたはうつくしと言ひ放つ頬《ほ》をはたと打ちけり」「確然と飢ゑあるときに確然と人あり飢ゑは存在の確証なれば」などを含む「飲食」一二首をはじめ、ここでも「飢え」をはじめとするモティーフがさまざまみとめられるものの、そこに「シベリア・エッセイ」の前に書かれた詩作品ほどの批評性は見いだしにくい。石原吉郎をあくまで詩人として考える立場からすれば、われわれが立てようとしている「飲食」というテーマは、その論のなかではあくまで周縁的なものにとどまらざるをえない。

沈黙と饒舌

ここでは、むしろ次のことを指摘しておくべきかもしれない。シベリアから帰還した石原吉郎の「口」は、いわゆる飲食とはべつの行為に支配されていた。それは、ラーゲリでの痛々しいまでの「沈黙」の後遺症ともいうべき、とめどもない「饒舌」である。

一九五三年末、舞鶴から東京へと帰還した詩人を待ち受けていたのは、周囲からの決定的な「疎外」であった。そのなかにはもちろん、シベリア帰りということで親類から投げつけられた心ない言葉や、就職をめぐる不当な処遇なども含まれる。だが、石原本人が「決定的」であると考えたその最大の要因は、何よりおのれのとめどない饒舌によってもたらされた。

つづいて私自身の、環境からの疎外を決定的なものにしたのは言葉である。それはまず、生理的な欲求に似た、とめどもない饒舌ではじまった。それは、悪夢のような記憶をただ切れぎれにつづりあわせるだけの、相手かまわずの、さいげんもない饒舌である。あきらかに、べつなかたちでの失語の段階に、私は足をふみいれていたのである。記憶はたえず前後し、それぞれの断片は相互に撞着した。記憶の或る部分だけを取りあげて語るということが、私にはできなくなっていた。「一切を」語りたいという欲求から、さいごまで私はのがれることができなかった。私はしばしば話の途中で絶句し、途方にくれた。そしてこのような饒舌のなかで、私は完全に時間の脈絡をうしなっていた。(「強制された日常から」)*13

石原吉郎の戦後は、まずもってこの「饒舌」からの回復の過程であったと言っても過言ではない。「饒舌のなかに言葉はない」という認識にいたったこの詩人は、いったん沈黙へとたどりつき、次第にそれを詩作品として発表するにいたった。そうして石原は、のちに『サンチョ・パンサの帰郷』としてまとめられる詩を雑誌や同人誌に書きはじめ、「時間の脈絡をうしなった」「とめどもない饒舌」

からの見事な回復をみせるのである。[*14]

なお、ここでは通りすがりの指摘にとどめるが、この時期の石原吉郎が、しばしば「リズム」という言葉を用いていることは見過ごせない。帰国後の狂ったような「饒舌」を飼いならすべく、詩人はそれをおのれのリズムに封じ込め、結果いくつものすぐれた詩を書きあげた。さきほどの「食事・1」なども、ほとんど一瞥しただけでわかるほどに、この石原吉郎の「リズム」が強く刻印された作品である。

これに対して、「涙」のほうに象徴される後年の作品では、こうした典型的な「リズム」がすっかり影をひそめている。それはたんなる作風の変化というより、より深刻な生活の変化の果てにもたらされたものと思われる。その要因として挙げられる伝記的事実はいくつもある。「シベリア・エッセイ」をはじめとする、散文によるシベリア体験の執筆とその回帰、親族や同人をはじめとする周囲の人間とのトラブル、さらにはそれらにも関連する妻の精神状態の悪化など、この詩人は抑留からの解放後もさまざまな生活上の困難に見舞われた。そのどれが原因ということもないだろうが、石原吉郎の「口」は、ここに至って「食べる」ことから「飲む」ことをめぐる悲喜へと結びつけられることとなった。アルコールである。

節酒と減酒

詩人として、そしてエッセイストとしての絶頂期にあった一九七〇年代の石原吉郎は、いつしかアルコールを手放せない軀になっていた。それは、当時この人物を知るものにとって、ほとんど周知の事実だったのだろう。「私の酒」（一九七三）という文章には、なんとか節酒に努めようとするこの詩人の姿が赤裸々に、しかしどこかユーモラスに綴られている。[*15]

ひとことで言えば、それはひたすらに「孤独な酒」であった。石原は午後四時頃には勤め先のあった新橋でひとり夕食を済ませ、帰宅して風呂から上がると、八時頃からほとんど儀式のようにして飲酒を始めた。このとき、飲むのはもっぱら日本酒である。家には買い置きの一升瓶が三本あり、まずそれをコップ二杯分、「時間をかけてゆっくりのむ」。九時頃にこの一回目の「定量」を飲み切ると、詩人はいったん床に入るが、それから一〇分も経たないうちにまたのそのそと起き上がり、二回目の飲酒が始まるのだ。

その二回目の酒は一回目とはちがって「養命酒の空瓶に小出しにして」ある。これも、分量としては一回目と同じく、ほぼコップ二杯分であったようだ。ウイスキーグラスに換算するとおおよそ六杯分で、これをまずはグラスで三杯飲む。それからふたたび床につくものの、またすぐに起き出して、残りの三杯分も空けてしまう。これにて二回目の「定量」が終わる。

ここまで飲むとさすがにうとうとしかけるが、それから詩人はふたたび起き上がって、三回目の「定量」にかかる。これは二回目のように養命酒の瓶に取っておくのではなく、一升瓶から直接ウイスキーグラスに注ぎ、それを三杯だけ飲む。時にはこの「定量」を超えてしまうこともあったようだが、おおむねここで酔いを発して、そのまま眠り込むというのがお決まりの流れだった。

旧ソ連からの帰国後、どうあっても飲酒から逃れることのできなかった石原は、この「三段飲み」によって、なんとかアルコールの摂取量を抑えようと努めていた。そんな一時期に書かれたのがこの文章である。だがその結末によると、この苦肉の策もあえなく頓挫し、最終的にはより不経済な方法に切り替えざるをえなかったようだ。そもそも、家に酒があるからいけないのである。その認識に達した石原は日本酒の買い置きをやめ、ウイスキーのポケット瓶を二本、毎日帰宅時に買って帰ることにしたという。そして一本と半分を空けたのち、あと半分を捨てるという方法で節酒に努めた。それが成功したのかどうか、読者はいっさい知るすべもないままこのテクストは終わる。

ここまで要約してみたが、いずれにせよ「私の酒」で綴られているのは「三段飲み」から「捨て飲み」への移行という、七三年前後に生じたひとつの出来事であるにすぎない。翌七四年の「日記」によると、この方法はあるていど功を奏したらしく、一年後には一日あたりポケットウイスキー一本までの減酒に成功したようだ。[*16] 石原は七七年に心不全で亡くなるが、本人を知る周囲の人々の多くは、これら一連の経緯を緩慢な自殺とみなしている。むろんそのような見かたには異論もあり、詩人の早すぎる晩年の心境がいかなるものであったのかは、ただひたすら想像するしかない。

ひとつだけはっきりしているのは、帰国後すぐにおそるべき「饒舌」に苛まれた石原吉郎の口は、最終的に「アルコール」に支配されたままその役目を終えたということである。だが、その悲劇的な結末にむかう途中に、ふとさわやかな「風」が吹き抜けた一場面がある。そのきっかけとなった飲食物は、酒ではなく、一杯の茶であった。

茶会の風

この詩人が晩年に書いたもののひとつに、「出会わぬこと」(一九七六)と題された小さな文章がある。詩人・小林富子の家で開かれた茶会についての、何ということはない随想である。『礼拝と音楽』という掲載媒体にも由来するのか、ここには「シベリア・エッセイ」のような切り詰めた厳しさは微塵もない。ただ、ほとんど虚空にむけて放たれたような、どこか悟りにも似た認識だけが綴られている。そこで詩人はこんなことを言っている。

薄茶を立てながら、小林さんが話された事で、今でもあざやかに記憶に残っている言葉がある。お茶はなんのために立てるのか、ということである。「人に出会うため」というのが、その時小林さんの口から聞くことのできた、お茶の目的の一つである。

運よく出会えたと思えるときは、ほんとうにうれしい。しかし対座はしても、誰にも出会わない時がある、といったあとで小林さんの口から、「それはそれでよろしいのです」という言葉を聞いたときのさわやかなおどろきは、今も私に持続している。まさしく頂門の一針であった。茶室を通りぬける風のすずやかな音を聞いたように、私は思った。（「出会わぬこと」[*17]）

清廉な一節である。そしてこれに続く段落のなかで、詩人はおもむろに「母」について語りはじめる。「生を受けてすら、母と出会わぬすれちがいの生のさわやかさに、我にもあらず向きあった思いであった。あるいは、ひとはそれぞれに、身近かな人に、身近かな故にこそ出会わないのであろうか」。この一節を読むとき、まず思い出されるのは、石原吉郎の実母・秀のことである。この母は、吉郎を含む二児を出産してすぐに亡くなっており、そのためこの詩人に実母の記憶はない。ここで「母と出会わぬすれちがいの生」と書きつけたとき、その脳裏に去来していたのは、母なきままに過ごした幼少期の記憶であったはずだ。

しかしながら、これに続く次の一節は、そうした経験的な次元を超えて、ほとんど形而上学的な議論へと転じている。

母が終生子に出会わず、妻が夫に出会わぬ人生があるであろう。それはそれまでの生である。この父と母の間にこそとの悲願のもとに、この世に生をうけたのではおそらくはない。というのであってみれば、生涯に一人の人と出会わずとも、それはそれなりに自然であるのではないか。
（同前）

この文章はいったい何を言おうとしているのだろうか。「母」と「子」が、そして「妻」と「夫」が出会わない人生というのは、経験的にはそもそもありえないことである。「母」は「子」がいるからこそ「母」なのであり、「妻」は「夫」がいるからこそ「妻」なのである。だとすれば、ここでいう「出会い」を欠いた人生というのは、おそらく文字通りのそれではない。それは現実には出会っていながら、不幸にも互いを十全に識ることなく終わった、そんな人生の悲哀のことであろう。「わたし」は「あなた」とたしかに出会った。しかし、わたしたちが本当の意味でわかりあうことは、死ぬまでなかったのかもしれない。あるいはまた、「わたし」のまわりには、現実には出会うことなく、それでも深いところで出会ってしまった「あなた」がいるのかもしれない。石原吉郎がここで書き記しているのは、そんな悟りにも似た認識である。

むさぼるように生きついで来たことへの、一途《いちず》なうしろめたさに、ふいに向きあったような思いであった。出会ったとたしかに思った人に、実は出会ってもおらず、なにげなくすれちがった人に、深いところで実は出会っているのではないか。「出会い」という言葉すら、そこではすでに不要なのではないか。（同前、強調引用者）[*18]

この啓示の大きさは、どこか計りしれないものがある。かつて鮎川信夫は、二三歳の石原吉郎が直面した「大きな躓き」――具体的にはキリスト教への入信時のトラブル――にふれながら、この「一期」の発見がもつ意味について論じたことがある。[*19] ここにはたしかに、数えきれぬほどの苦汁を舐めてきたこの詩人が到達した軽やかな認識が、あたかも風のように吹きぬけている。

かつて詩人はラーゲリでの経験を反芻しながら、周囲の人間をひとり残らず消去する、絶対的な「孤食」について語っていた。そしてここに記されているのも、やはりすべての他者が消えた光景であると言って差し支えない。出会ったと思った人に、実は出会っていなかった。あるいは、なにげなく擦れ違っただけの人と、実は深いところで出会っていた――ここには、通常の意味での「他者」をめぐる遠近法が存在しない。むろんこの二つの光景には、ほとんど比較を絶した隔たりがある。石原吉郎が最終的に到達したのは、もはや「出会い」という言葉すら不要であるような、ただたんに無数の他者が充満した世界である。

シベリアからの生還ののち、あくまで「生を放棄する」ことなく、「地味な、執念ぶかい生活者として」生きることを宣言した石原吉郎は、その言葉どおりに生涯を全うした。[*20]

第十章

寄生（プロローグ）

ポン・ジュノ監督の映画『パラサイト』（二〇一九）が日本で一般公開されたのは、二〇二〇年一月一〇日のことだった。前年のカンヌ国際映画祭パルムドールに続き、この作品が米国アカデミー賞で作品賞を含む四部門を受賞したのは、その一ヵ月後の二月九日のことである。以来、近年まれに見る栄誉に浴したこの韓国映画をめぐっては、およそ人の口にのぼらない話題はないのではと思われるほどに、さまざまなことが語られてきた。過去の作品によってすでに国際的な評価を獲得していたポン・ジュノのこと、あるいはその土壌をつくった韓国の映画産業のこと、はたまた本作品の主題となった格差社会のことなど、そこでは本当に、ありとあらゆることが語られてきた。

しかしそうした喧騒のなかで、ひとつだけ、だれの口にものぼらぬ問いがあった。それは、この作品において、いまなお重要なことが見落とされているということではおそらくない。むしろ、この映画について言えばあまりにも明らかであるために、これまでまったくと言っていいほど話題にされなかったことがある。

それは、パラサイトとは何かという問題である。

このいくぶん奇異に響くかもしれない問いは、そもそも次のような疑念に由来している。なぜ人々は、この作品に冠された「パラサイト」という表題をすんなりと受け入れているのだろうか。言うまでもなく「パラサイト」とは、日本語でいうところの「寄生（するもの／こと）」と同義である。分野ごとにそれが意味するものは異なれど、生物学的には寄生虫を、社会学的にはこれに相当する人間をさすことが一般的だ。後者の派生形としては、過去それなりに人口に膾炙した「パラサイト・シングル」という言葉もある。そしてこの言葉がタイトルに現われているからには、この映画のなかに「パラサイト」（という存在）がいる、あるいはこの映画の核心をなすのが「パラサイト」（という営為）である、という合意がとれていると考えるのが自然な推論だろう。事実そのような合意は、この映画を知るもののあいだでほとんど暗黙のうちに成立しているように思われる。しかしそのような暗黙の合意は、いったいいかなる前提のもとに成り立っているのだろうか。

具体的に考えてみよう。この映画は、大きく三つの家族を中心に進展する。その家族とはキム一家（ギテク、チュンスク、ギウ、ギジョン）、パク一家（ドンイク、ヨンギョ、ダヘ、ダソン）、そして物語の途中で明らかになる地下室の一家（グンセ・ムングァン夫妻）である。大まかな流れとしては、ソウルの半地下の家に住む貧しいキム一家が、大金持ちのパク一家に首尾よく取り入るまでが前半、そして家主不在の大宴会中、パク家の地下室に棲むグンセの存在が明らかになり、最終的に惨劇がもたらされるまでが後半の内容に相当する。

この映画は隅から隅まで記号と寓意に貫かれており、キム家とパク家の家族構成（それぞれ四人）をはじめ、あらゆる細部が物語の円環のなかにきれいに収まっている。もちろん「パラサイト」というタイトルもその範疇にあると言ってよい。物語の前半は、キム家の兄・ギウがパク家の長女ダヘの家庭教師となったことを足がかりに、同じく妹・ギジョンが長男ダソンの家庭教師として、さらには運転手として父・ギテクが、家政婦として母・チュンスクが次々と「寄生」を試みていくプロセスと軌を一にしている。ここには、パク一家のパラサイトとしてのキム一家、という構図が容易に見てとれる。しかしそこから一転、大胆にも雇主の家で大宴会に興じるキム一家の前に元家政婦のムングァンが現われたことで、とたんに雲行きが怪しくなる。ムングァンにより明らかにされたのは、パク邸の地下室にひとり棲む夫・グンセの存在だった。この「真の」パラサイトであるグンセの出現により、キム一家の計略は決定的な狂いを見せはじめ、喜劇は短いサスペンスを経由して悲劇へと転じる。

いましがた見たように、この「パラサイト」というタイトルの妙味は、キム一家とグンセ・ムングァン夫妻という二重のパラサイトにより担保されている。もともとギウのアルバイト先にすぎなかったパク家に取り入るキム家の面々は経済的に、グンセ・ムングァン夫妻は空間的に、パク一家に寄生しているというわけだ。いずれも宿主がパクであることに変わりはないが、前者は貧困生活から脱するために不当な高給をくすねとる、どちらかと言えば微笑ましきパラサイトであり、後者は莫大な借金から逃れるために他人の地下室に身をひた隠す、筋金入りのパラサイトである――そんな言いかたもできるだろう。

ゆえに、邦題に添えられた「半地下の家族」というサブタイトルが、物語の中盤に登場する真のパラサイト・グンセの存在を際立たせるために選ばれたものであることは疑えない。つまり、これが映画の開始直後に登場するキム一家の「半地下」住宅をさしていることは明らかだが、やがて本物の「地下」に棲むグンセの存在が明らかになったとき、後者の登場はいっそう強く印象づけられることになるのだ。もともとこの映画では「上」「下」という空間的な地勢が一貫して格差の表象に用いられているだけに、あえてこの「半地下」というトポスを強調してみるのも、むろんそれ自体としては

不当なことではないだろう。とはいえ、先で見たような「パラサイト」の二重性は『기생충（寄生虫）』というシンプルな原題においてこそ引き立つのであって、日本公開時に添えられた「半地下の家族」というサブタイトルは、おもに興行的な理由から選ばれた余分なものにすぎない。

いずれにせよ、くだんの惨劇ののち、父・ギテクがグンセにかわって地下室に収まることも含め、商業映画のプロットとしてはおよそ非の打ちどころのない構成である。ひるがえって、これが当地の現実を覆い隠したうえに成り立つグローバルな「貧困観光」（四方田犬彦）にすぎないという批判も、むろん首肯できるものである。しかし繰り返すが、われわれのもっかの関心はそこにはない。キム一家とグンセ・ムングァン夫妻がともにパラサイトであるというわれわれの認識は、いったいいかなる土台のもとに成立しているのか——それがわれわれの真の問題である。

パラサイトの由来

この問いに答えるために、いちど迂回を試みたい。

傍らで食べるもの——これが、わたしたちが「パラサイト」という名で呼びならわしている存在の、おそらく最古の定義である。他人の家の食卓に供された食事（sitos）を、その傍らで（para）食べるもの。そこから生じたギリシア語の「パラシートス（parasitos）」こそ、わたしたちの知る「パラサイト」の始祖にほかならない。

こんにち「パラサイト」という言葉は、生物学的なカテゴリーとしての「寄生虫」という意味によってもっとも広く知られているだろう。しかし、その原義に遡るなら、これはむしろ日本語で言うところの「穀《ごく》潰し」に近い。というのも、先にふれた食事《シートス》というギリシア語は、より限定的には穀物のことを意味するからである。

この「パラシートス」という言葉は、いわゆる「居候」や、いまやほとんど聞かれなくなった「食客」という日本語に、ほぼ正確に対応している。つまりそれは、だれかの食卓に供される食事を傍らで食べるもののことである。ちなみにそれが人間であれ、人間以外のものであれ、この場合の「傍らで（para）」という接頭辞には、「共有」よりも「排除」のニュアンスを聞きとったほうがよいだろう。現実にそくして考えてみれば、食客が、その食卓を共にすべき「家族」や「友人」といったカテゴリーから厳密に排除されていることは火を見るよりも明らかだ。寄生虫はわたしたちの体内で栄養を摂取しているが、わたしたちは虫たちと食事を「共に」しているわけではない。旅先で一宿一飯の恩にあずかる渡世人は、盃を交わした正式な「家族」ではなく、またどこかへ流れる「客人」でしかない。かれらパラシートスもまた、だれかの家に居心地の悪い場処を占め、その食事をくすねとる、文字通りの寄生虫のような存在なのだ。

古代ギリシアにおける食客《パラシートス》の具体的なイメージを知るには、当時の喜劇、とりわけ紀元前四世紀頃の中喜劇、新喜劇を読んでみるに如《し》くはない。といってもおそらくその姿は、われわれがその二文字から想像するものと大きな違いはないだろう。ようするに、身銭を切らず、ただで飲食にあずかる人物を想像してみればよい。さらには、そうした飲食にあずかるために、周囲の人物に取り入る小狡い人物を想像してみてもよい。本書でも繰り返しのべてきたように、このギリシア喜劇における食客は、やがて後代の喜劇全般におけるひとつの「類型的人物」となる。そのため、場合によってはローマ喜劇、あるいはより後世の作品に、その姿をみとめることもできよう。

ともあれ、「パラサイト」の原義たるパラシートスとは「傍らで食べるもの」——より厳密には「(家主の)傍らで(穀物/食事を)食べるもの」——の謂いであった。しかしながら、わたしたちが思い浮かべるパラサイトの存在様態は、どちらかといえば「食事」よりも「場処」にこそ結びついているのではないだろうか。むろん映画『パラサイト』のなかで、地下室の住人グンセが——キム一家との対比において——真のパラサイトであるかのように思われるのは、その露見以前/以後にまたがる演出上の効果によるところが大きい。しかしそれをべつにしても、われわれが通常そうみなすところのパラサイトは、本来の「食事」に加えて「場処」というもうひとつのトポスに緊密に結びついている。

それはいったいなぜなのか。これはあくまで仮説の域を出るものではないが、もともと「穀物/食事」と強い結びつきをもっていたギリシア語の「パラシートス」は、西欧近代語に変換されていくなかで、いつしか「場処」に強く結びつけられるようになった——ここには、なかば偶然のものと言ってよい、そうした歴史に支えられた要因があるように思われる。

どういうことか。たとえば「パラサイト(parasite)」という英単語を目にしたとき、人はここに

paraという接頭辞をみとめて、それを無意識にpara-siteと分離する。ラテン語由来のあらゆる言語にこれと同じことが当てはまるわけではないが、すくなくとも英語と仏語について言えば、基本的な事情は同じである。そこでは、ギリシア語由来の「穀物／食事（sitos）」の含意が、不在とまでは言わずとも大いに影をひそめている。わたしたちがそうしたように、もしもそこでギリシア語の原義にたずねることを怠るなら、おそらくこれは「場（site）」の「傍らに（para）」あるもののことを言っているのだ、と性急に、かつ誤って納得されてしまうにちがいない。

共生と寄生

『パラサイト』に戻ることにしよう。われらが「半地下」のキム一家、そして「地下」のグンセとムングァンの夫婦は、それぞれまったく異なる意味でパク家に寄生するパラサイトなのであった。さきほどの語源談義との絡みで言えば、この二つの家族が、パラシートスよろしく各々主人から食事をくすねとっていることは注目されてよい。さきだって話題にしたように、ちょうど物語の中盤でキム一家が大宴会に興じる光景は、そのことを象徴的に示している。そしてこの直後に登場するグンセも、ムングァンにひそかに食事を融通してもらうことで命をつないでいたことを忘れてはならない（それができなくなったために、ムングァンは結果的にキム一家と邂逅するはめになったのだった）。

なるほど、ここには他者の食事をひそかにくすねとる、本来のパラサイトの存在様態がしかと映し出されている。しかし、わたしたちがかれらをパラサイトとして認識するのは、なにも文字通り食事をくすねているからではないだろう。キム一家は数々の詐称や陰謀によってパク夫妻から不当な高給をせしめており、グンセはみずからの存在をほぼ完璧に隠しつつ、同家の地下室に根を張っている。いずれのケースも、ひとたびその営みが露見すればすべてが終わるといった性格のものだ。この映画にかぎったことではないが、なにものかへの寄生《パラサイト》という言い回しは、こんにちそうした金銭的・空間的な含意をともなうことを常態としている。

しかしそうだとすると、ここにはある問題が生じてくるのではないか。さきほどの語源談義は、もともとこの言葉が「穀物／食事」と深く結びついているという事実を伝えるためのものだった。しかし、いまではこの本来の意味はなかば失われ、むしろ金銭的・空間的な搾取関係を表すことのほうが一般的になっている――これも、いましがた見たとおりだ。そこで「何を」くすねとっているのかはもはや問題ではない。むしろそこで共通するのは「不正に」という様態のほうであろう。最終的にはキム一家も、グンセ・ムングァン夫妻も、それぞれ不正の報いをうける。しかし、それはわたしたちに見えているのがもっぱら「かれらの」不正であるということにすぎない。パク家の夫・ドンイクが、妻・ヨンギョが、あるいはその二人の子供たちが、何者からも不正に搾取していない人間である保証などどこにもない以上、かれらもまたひとりのパラサイトなのだと言うことを妨げる理由はない。

そのうえで、問題はもうひとつある。そもそも、パラサイトはただ何かを「くすねとって」いるだけなのだから、それが不正になされた営為であるかどうかは、実のところ二次的な問題にすぎない。いったい、だれがその正と不正を判定できるというのか。極端なことを言うと、いかなるものも搾取せず、すべてを正当な方法で調達できる存在者など、およそ神とよばれるものを除けばどこにも存在しまい。したがって、そこでひそかに徴収されているものを文字通りの食事に限定しないのだとしたら、パラサイトであることの条件は、あらゆる存在者が生を営むための根本的な条件へと転じてしまうのではないだろうか。

われわれはみな、何らかの意味でパラサイトである。とはいえ、この社会では「共生」という言葉のほうがはるかに耳触りのよいものであるらしく、どこを見回しても「共生」を謳う言葉ばかりが幅をきかせている。むろん、経済格差の問題や宗教間の衝突、あるいは世界的に拡大をつづける排外主義に代表されるように、現実の社会における共生がいまなお喫緊の課題であることは明らかだ。なおかつそうした事態の反映として、人文・社会科学系の学問における「(多文化)共生」というお題目が、国家主導の予算配分において少なからぬプライオリティをもってきたことも、紛れもない事実である。しかし他方、それとわずか一字違いの「寄生」という文字面は、むしろひとを怪訝な気持ちにさせる、一種の不穏な響きすらともなうのではないか。

パラサイトの条件

本書の最後に、パラサイトをめぐる一般理論のスケッチと、それに関連するいくつかのトポスを目印として残しておこう。さきに結論めいたことをのべておけば、ここでいう「一般理論」の中核を担うのは、ほかならぬ「法」である。さしあたりそのうち三つを順番に見ていこう。

一．本来の住処や食事をもたず、時にはある家に着々と根を張り、またある時には複数の家を渡り歩く存在――この意味で、パラサイトは移ることと本質的に結びついた存在である。本来そこにいる権利を持たないはずのものが、いつの間にかその場処に移り棲むこと。あるいは、そこからまた新たにべつの場処へと移り棲むこと。パラサイトの第一の条件とは、その滞在の種類や期間を問わず、みずからが本来いるべきではない場処へと移り棲むことにある。

ごく一般的に言えば、ある日突然どこかの家に赴いて、そこで寝食を共にするというのは、おそらくほとんどの文化圏において法外な営みである。ここで「法外」と言えるのは、どのような形であるにせよある家に住みつき、その食事に与るという行為は、ふつう「法」によって制限されているからだ。当然のことながら、ある家を住処として占有することは、売買にせよ貸借にせよ、金銭の授受を含めた広義の法契約によって保障されている。したがって、だれかの家に足を踏み入れ、そこで食事を共にする権利があるかどうかの境目は、それが法的な正当性にもとづいているか否かという点にこそかかってくる。

むろん、ここには反論もありうるだろう。ある文化のなかには、人々を無条件に受け入れ、食事を共にする慣習も少なからず存在する。その意味では、こうした占有権をめぐる議論は、あくまでも限られた文化圏を対象としたものにすぎない――そのような反論が想定される。しかし忘れてはならないが、こうした歓待の掟でさえも、目の前の見知らぬ他人――あくまでもその慣習を共にする相対的な他人――を歓待すべしという暗黙の法のうえに成立するものであることは明らかだ。つまり、そこにあるのは成文法か否かの違いだけであって、両者のあいだには絶対的な隔たりが存在するわけではない。以上をふまえて整理するなら、ある存在者の本来の住処を規定するものは、つまるところ広義の「法」であると言うことができる。

二．ここから、パラサイトの第二の条件を導き出すことができる。その条件とは、みずからが本来いるべきではない場処へと移り棲むことで、既成の法をたえず踏み越えることにある。どういうことか。パラサイトをめぐるこの種の話題にしばしば見られるものとして、寄食者を受け入れる宿主の「贈与」を強調する立場が挙げられる。すなわち、パラサイトがそれとして存在することを可能にしているのは、住処や食事を見返りなしに、もしくは嫌々ながら提供している宿主の存在だ、というわけである。ここで両者の関係を、さきほどの「法」に即して考えてみよう。なるほど、本来その権利を持たないものに住処や食事を提供するという行為は、法の管轄を超えた贈与の契機なしにはありえない。しかし、そのような贈与を生じさせる契機が何であるかと言えば、それは宿主のもとへと不意に到来するパラサイトの存在をおいてほかにない。かくしてパラサイトは、本来その権利をもたないはずの住処を首尾よく獲得し、法的にはみずからに帰属しないはずの権利を、法外なしかたで手にすることができる。したがって、歓待が約束されている場処を自由にわたり歩く存在者が、厳密な意味でパラサイトと呼ばれることはない。むしろ、法的な意味での「招かれざる住処」へと積極的に赴きつつ、いつの間にかそこを「本来の住処のようなもの」へと変えてしまう侵犯行為こそが、パラサイトの第二の条件をなしているのである。

三．そしてここから、パラサイトの第三の条件が導かれる。すなわちパラサイトとは、みずからが本来いるべきではない場処へと移り棲み、既成の法をたえず踏み越えつつ、なおかつその宿主と決してひとつになることのない存在である。ある住処を合法的なしかたで獲得し、そこで供される食事を正当なしかたで享受するようになった存在は、もはやパラサイトと呼ばれることはない。食客は、あくまでも所与の共同体にとってよそよそしい存在であるかぎりにおいてパラサイトと呼びうるのであり、みずからが身を寄せる共同体の正式な一員として迎え入れられたとき、それはパラサイトとしての存在様態を喪失する。したがって、定義上パラサイトには終わりがない。生物学的なカテゴリーとしてのパラサイト（寄生虫）を想像してみれば明らかであるように、パラサイトとは、最終的に宿主との完全な癒着には至らず、個体としてのぎりぎりの輪郭を保っているからこそ、そのように呼ばれるのである。

ここまでの三つの「条件」を整理しよう。第一に、パラサイトはみずからが本来いるべきではない場処へと移り棲むことを定めとする。この意味で、パラサイトが置かれている状況は、当のパラサイトにとっても必然的に居心地の悪いものである。第二に、パラサイトは既存の法をたえず踏み越える。この意味で、パラサイトは法的に画定される秩序――すなわち所有権や占有権――を根底から脅かす存在である。第三に、パラサイトはおのれが身を寄せる宿主と決してひとつになることがない。この意味で、パラサイトはべつの何ものかと共生しているにもかかわらず、自立的かつ不安定な状態におかれつづける。

以上の三つの条件に共通するのは、それらがすべて移住、侵犯、定住といったトポロジカルな構造をもっていることである。こうした「条件」に当てはまるものとしては、たとえば亡霊などが真っ先にイメージされるかもしれない（『パラサイト』における地下室の住人も、幼いパク・ダソンにとってまさしくそのような存在ではなかったか）。第一に、亡霊は、ある場処を住処とする生きた人間からすれば、けっしてそこに「いてはならない」存在である。第二に、しばしば実体なきものとして表象される亡霊は、法的かつ物理的に秩序づけられた空間などお構いなしにあらわれる「法外な」存在である。第三に、亡霊が最終的にその宿主に「馴染んでいく」というのは考えにくいことであり、それはどこまで行っても不安定かつ自立的な存在であることをまぬがれない。したがって亡霊とは、前述のようなパラサイトの条件にすぐれて当てはまるものである。

しかしながら、わたしたちはそれとはまた異なるかたちで、来たるべきパラサイトの条件を考えることもできるのではないだろうか。たしかにある種の通念として、亡霊が、ある場処や人間に取り憑く「パラサイト的」な存在であることは疑えない。しかし亡霊は、先に述べたような法的な秩序をあまりにもやすやすと乗り越えてしまうがゆえに、逆説的にもそこにあるべき侵犯のダイナミズムがほとんど見られない。亡霊は、パラサイトとよぶにはあまりにも法外な存在なのだ。

むしろすぐれて「パラサイト的」な存在とは、そこで対話の可能性が確保されていながら、いかんともしがたくそこに棲みつづけてしまうような存在ではないだろうか。権利上、その存在者を追い払う手立てが確保されていながら、事実上、それが不可能であるような存在――たとえば「バートルビー」がそれである。

バートルビー

ハーマン・メルヴィルの『バートルビー』は「寄生」の物語である。おそらくそのように言ってみたところで、いまさら驚きを示す読者はいまい。「せずにすめばありがたいのですが（I would prefer not to）」という決まり文句によって知られるこの短篇小説は、これまで、そのわずかな分量に似合わない膨大な言説を招き寄せてきた。じっさい「この物語については多くのことが書かれて」きたのであり、「文学者も、文学研究者も、哲学者も、ありとあらゆることを書いて」きた。[*1] 昨今では、むしろそうしたさまざまなテクストを入口として、アメリカ文学史上もっとも有名なこの中篇小説を手にとった読者も少なくあるまい。そのような小説について、いまさら何をつけくわえることがあろうか。

げんに、ブランショ、ドゥルーズ、アガンベンらによる数々の『バートルビー』論をふまえつつ、「この作品について、新しくかつ興味深いことを言うことなどほとんど不可能である」[*2]。

それゆえ『バートルビー』が「寄生」の物語であるという先の断言も、ほとんどの読者にとっては既知の事柄であるという前提で、ここからの話を続ける。時は一九世紀の半ば、ウォール街で法律事務所を営む「わたし」は、職場の代書人のポストに応募してきた男・バートルビーと出会う。はじめの数日のうちは、バートルビーは与えられた仕事を黙々とこなす模範的な筆生としか見えない。奇妙な理由により性格に難を抱えるターキー、ニッパーズとくらべれば、バートルビーの勤勉さはいっそう際立っている。いっぽう、物語が進むにつれて次第に明らかになるのは、雇用主である「わたし」の要求——文書の点検や、些細な用事——に対して、つねに「せずにすめばありがたいのですが」という、否定とも肯定ともつかぬ返答をくりかえすバートルビーの異常さである。そしてついに、バートルビーは筆生の仕事そのものをやめてしまう。

長らく辛抱していた「わたし」も、ある日ついに耐えかねる。しかしバートルビーを解雇しようとしても、彼はあいかわらず「せずにすめばありがたいのですが」と繰りかえすばかりで、いっこうに「わたし」の事務所を出ていく気配がない。それどころか、「わたし」がひょんなことから日曜日のオフィスに顔を出してみると、そこには明らかにバートルビーが生活をしている痕跡が見つかるのである。

そうしたバートルビーの奇妙な言動は、やがて周囲の人間に感染し、その精神を失調へといたらしめることになるだろう。バートルビーを事務所から追い出しかねている「わたし」や、同僚の代書人であるターキーも、知らず知らずのうちに「……せずにすめばありがたい（I would prefer not to）」という、ふだんまったく使わないはずのバートルビーの決まり文句に感染してしまう。そして、ついにバートルビーを追い出すことを諦めた「わたし」は、最後の手段とばかりにみずからオフィスを引き払ってしまう。しかし悲劇的なことに、なおもかつての職場を離れようとしないバートルビーへの苦情から逃れるために、「わたし」は街の郊外を四輪馬車で逃げまわる羽目になる。その痛ましい叫びのなかで、バートルビーはほかならぬ「亡霊」に擬《なぞら》えられる。

何をすべきなのか？　この男、いやこの亡霊《ゴースト》に対して何をすべきだと良心は言っているのか？彼を追い出す、これは何としても為さねばならぬ。出ていってもらう、それは決まりである。だがどうやって？[*3]

こちらもよく知られた結末だが、最終的にバートルビーは警察の介入によって宿主から切り離され、監獄でその一生を終える。しかし重要なのはそうした物語の帰趨ではなく、それが宿主の精神を狂気へといたらしめる、前述のようなプロセスである。つまり、ある場——ここでは「わたし」のオフィス——に憑依するパラサイトは、おのれの宿主からおこぼれを得るだけの受動的な存在ではない。むしろそれは、ここでのバートルビーのように、その場の秩序を決定的に変容させてしまい、あまつさえ本来の権利者とみずからの立場を入れ替えることすらある。ここに見られるのは、しばしば受動的かつぬるい存在と認定されがちなパラサイトがもつ、能動的かつ破壊的な作用である。パラサイトとは、慣習的な法によって共有された規範を攪乱し、そこに決定的な変容をもたらす、そのような潜勢力《ポテンシャル》をもったあらゆる存在者の名称である。

仲間たち

バートルビーがウォール街で奇妙な「ボイコット」に励んでいたのは一九世紀半ばのことだった。それからほぼ一世紀後、こちらはフィクションではないが、ひとりの亡命哲学者が、ウォール街からもそう遠くないグリニッジ・ヴィレッジで講義を行なっていた。その人物はハンナ・アーレント（一九〇六－一九七五）。第二次世界大戦の終結後、彼女はヨーロッパからの亡命知識人たちの受け皿となったニュー・スクール・フォー・ソーシャル・リサーチで、カントの政治哲学にかんする講義を行なっていた。それは彼女が急逝する五年前、すなわち一九七〇年の秋学期のことである。

その講義内容は、現在『カント政治哲学講義録』（一九八二）として読むことができる。編者のロナルド・ベイナーによれば、これはアーレント本人が講義にむけて用意していたノートであり、それゆえ講義の内容をほぼ忠実に反映したものと考えてよい。

ここで見ておきたいのは、このなかの「第一一講」である。この日の講義は「休暇の前に話題にしていたこと」の復習から始まっているので、おそらく一九七一年の年始めの授業だったと考えられる。ここでアーレントは、カントの「趣味（taste）」および「共通感覚（sensus communis）」についてひととおり解説を加えたのち、こんなことを言っている――「共通感覚についていえば、カントはひじょうに早くから、もっとも私的で主観的な感覚のように思えるものにも、非主観的なものがあるということに気づいていました」。わたしたちがある対象について満足するのは、それが他者と一致するかぎりにおいてのことにすぎない。カントによれば、「人はある対象についての満足を他人とともに感じることができなければ、その対象に満足することはない」。また「わたしたちは自分の趣味が他人のそれと一致しないとき、恥ずかしく思う」。こうしたカントの記述を踏まえつつ、アーレントは次のような結論により講義を締めくくる。

> 判断、とくに趣味判断は、他者および他者の趣味について反省し、他者がくだす可能性のある判断をつねに考慮に入れます。こうしたことが必要なのは、わたしが人間であり、人間の仲間の外では生きられないからです。わたしが判断をくだすのはこの共同体の一員としてであって、超感覚的世界の一員としてではありません。超感覚的世界というのは、おそらく理性は具えているものの、同じ感覚器官を具えてはいない存在者たちの棲む世界でしょう。そこでは、そうした存在者としてのわたしは、他者がどう考えるかに関わりなく、自分に与えられる法に従うことでしょう。[*4]

たぶんに道徳的な解説であることは否めない。しかしここでひとつだけ注意しておきたいのは、この結論の直前でアーレントが、以上の「間主観性」を説明するさいに、次のような一文を書きつけていることだ——「考えるためには孤独でなければなりませんが、食事を楽しむには仲間が必要です(You must be alone in order to think; you need company to enjoy a meal)」。

原文を見るに、アーレントはこの一文を丸括弧とともに書きつけている。はたして彼女は、講義ノートに書かれたこの言葉を、じっさいに教室で口にしたのだろうか。もしそうだとして(あるいはそうでないとしても)、その仲間《カンパニー》のなかにはだれが包摂され、そこからだれが排除されることになるのだろうか。「食事を楽しむには仲間が必要です」——なるほどその通りである。しかし二〇二〇年五月四日、この国に突如として現われた「新しい生活様式」なるものにおいても、あるいはそのようには明示されていない前意識のレベルにおいても、わたしたちがこの「仲間」をいちじるしく限定せざるをえない状況で生を営むことになったのは周知の通りである。

そのことがあらためて思い出させてくれるのは、われわれの日々の「飲食」が、必然的に接触をともなうという事実だろう。何かを食べることのうちにある、他者の生死との接触。あるいはそこに群がる、大小さまざまな微生物との接触。あるいは卓上を飛び交う、唾液の飛沫に付着するウィルスとの接触——ここにおいて、食べることとはそのまま触れることでもあり、そこでは主と客を見分ける目はほとんど機能しない。

かつて、ジャック・デリダは『触覚』（二〇〇〇）において次のようにのべていた。いわく「触れること（toucher）」のうちには、つねに何ものかが取り憑いている。次の長大な修辞疑問文が言わんとしているのは、われわれはそもそも触覚において、無数の他者と共生しているということにほかならない。

触れるもの、あるいは触れられるもののうちに、純粋な自己触発というものは存在するだろうか――すなわち純粋に固有な身体、生ける固有の身体、純粋に生きている身体の、純粋に無媒介的な経験といったものが。あるいは反対に、この経験はすでに、間隔化、そして可視的な空間性に結びついた何らかの異他触発に取り憑かれて、あるいは少なくとも構造的に取り憑かれてはいないだろうか――そして、そこにおいては、侵入者、望ましい客、もしくは望まれざる客、救いを求める他者、拒絶されるべき寄食者、毒＝薬《パルマコン》といった、すでにある場をみずからの住まいとしていたものたちが、その内側に回帰しつつ住みついているのではないだろうか。[*5]

触れることのうちには、つねに「拒絶されるべき寄食者《パラサイト》」が取り憑いている。かつてであれば、わたしたちはこれをひとつのテーゼとして読むことができたかもしれない。しかし、いまわたしたちの目の前にあるのは、このテーゼが抗いがたい現実として、われわれの生をなまなましく支配しているという現状にほかならない。というより、わたしたちはいつしか忘れていたのだ――アーレントがいう仲間《カンパニー》に数え入れられることのない無数の食客たちが、いつも自分たちの傍らで生を営んでいたことを。

註

第一章　共生

＊1　ここから先の内容は、二〇〇二年にスイユ社から刊行されたバルト本人の講義ノートと、その講義の録音を収めたCD-ROMにもとづいている。Roland Barthes, *Comment vivre ensemble. Notes de Cours et séminaires au Collège de France (1976-1977)*, Paris, Seuil, 2002.（『いかにしてともに生きるか　ロラン・バルト講義集成Ⅰ』野崎歓訳、筑摩書房、二〇〇六年）

　なお、本書において外国語の文献を引用する場合は、原文とあわせて可能なかぎり日本語訳を参照し、対応する頁数を明記する。ただし、語句や文体の統一などのため、訳文にはとくに断りなく修正を加えている。

＊2　Claude Coste, « Préface », in Roland Barthes, *Comment vivre ensemble*, op. cit., p. 20.（前掲書、xiv頁）

＊3　Roland Barthes, *Comment vivre ensemble*, op. cit., p. 221.（前掲書、二四八頁）なお、この梗概については紛れもなくバルトが「書いた」ものであるため、同じ文章がスイユ社のロラン・バルト全集（全五巻）にも収録されている。Roland Barthes, *Œuvres complètes, tome V : 1977-1980*, Paris, Seuil, 2002, pp. 362-363.

＊4　講義録の文献表によれば、バルトが参照していたのはJacques Lacarrière, *L'Été grec. Une Grèce quotidienne de 4000 ans*, Paris, Plon, 1976である。ここでは同じプロン社から出た一九九三年の刊本を参照しているが、講義録の註と対照するかぎり頁数に異同はない。

＊5　Roland Barthes, *Comment vivre ensemble*, op. cit., p. 40.（前掲書、一五頁）

*6　Éric Marty, « Avant-propos », in Roland Barthes, *Comment vivre ensemble*, op. cit., p. 10.（前掲書、vi頁）

*7　Roland Barthes, *Comment vivre ensemble*, op. cit., p. 37.（前掲書、一一頁）

桑田光平は、バルトのテクストのなかに、ここで問題にしているのとはまた異なる「共生」の問いが見いだされるという。それは、あるテクストの「著者と共に」生きるとはどういうことか、という問いである。そこで論じられるような「……と共に生きる（vivre avec）」ことと、もっかわれわれが問うている「共に生きる（vivre ensemble）」ことは、むろんそのまま問題構成を同じくするものではない。とはいえ、たとえば次のようなくだりなどは示唆的だろう。「［……］単なる内容／形式の対立を超えて、彼らの言葉に寄り添いながら、彼らを「一つのイメージ、一つの客体」から解放することこそ、つまり、一般に認められてきた作家の像を平然と括弧にくくり、その重苦しい像の下で窒息している彼らに再び空気を与えながら、自分もその同じ空気を呼吸することこそ、彼らと「共に生きる」ということなのである」（桑田光平『ロラン・バルト――偶発事へのまなざし』水声社、二〇一一年、三一頁）。ここで桑田が指摘するようなバルトの姿勢は、たとえば『サド、フーリエ、ロヨラ』（一九七一）などに典型的に見てとれるものである。「いずれにせよ、ここで重要なのは、サド、フーリエ、ロヨラと「共に生きる」ということが、彼らのテクストの内容を理解してそれを実践することではなく、彼らの言語を自分の中にとりこむということである」（同前、二七頁）。

*8　Jacques Lacarrière, *L'Été grec. Une Grèce quotidienne de 4000 ans* (1976), Paris, Plon, 1993, p. 40.

ちなみに「イディオリトミー」の綴りについては、ラカリエールが採用している idiorythmie のほうが――複数の辞典を参照するかぎり――今日のフランス語ではより一般的に用いられるようである。バルトは idiorrythmie という綴りを採用しているが、これはギリシア語の ἰδιορρυθμία をより忠実に転記したものだろう。これについて、バルトは一月二六日の第三講で、聴衆からの質問への応答として次のように述べている。「イディオリトミーという単語はどうして r を重ねるのだろうと不思議に思っていたのですが、それは根本的には誤用なのだろうとは思いつつ、idios の *s* を取り込んだものであるというのがわたしの考えでした。ところが、ある人が教えてくださったところによれば、実のところ二番目のｒに変化したこのｓは、たんに rhuthmos のはじめの rhô の気音に由来するのだということです」。

＊9 Roland Barthes, *Comment vivre ensemble*, op. cit., pp. 147-148.（前掲書、一五七頁）

＊10 Roland Barthes, *Comment vivre ensemble*, op. cit., p. 35.（前掲書、九頁）講義録と録音を対照のうえ、後者に即して文言を修正した。たとえば顕著な相違として、講義中に発せられた「個人的な」「わたしにとって」という文言は講義ノートには見られない。

第二章　孤食

＊1 Brillat-Savarin, *Physiologie du goût avec une Lecture de Roland Barthes*, Paris, Hermann, 1975.（ロラン・バルト／ブリヤ゠サヴァラン『バルト、〈味覚の生理学〉を読む　付・ブリヤ゠サヴァラン抄』松島征訳、みすず書房、一九八五年）

＊2 『味覚の生理学』の刊行年は公式には一八二六年だが、同書はその前年の一八二五年一二月にはすでに世に出回っていた。ブリア゠サヴァランが七〇歳で亡くなったのは、その約二ヵ月後の一八二六年二月二日のことである。

＊3 *Physiologie du goût, ou Méditations de gastronomie transcendante*, Paris, Sautelet, 1826, tome II, Méditation XXVIII, 132.（下巻一一九頁／下巻一六九頁）

以下、『味覚の生理学』の底本としては、フランス国立図書館が公開している初版本（ソートレ、一八二六年、全二巻）を用いる。本書には『美味礼讃』という邦題のもと、関根秀雄・戸部松実訳（岩波文庫、一九六七年）と玉村豊男訳（中公文庫、二〇二一年）の二種類の日本語訳があり、抄訳としては前掲の松島征訳（みすず書房、一九八五年）がある。原著にもっとも忠実なのは関根・戸部訳だが、同書は後世の複数の刊本にもとづいているため、節番号などに初版との異同がある。現代の読者により親しみやすいと思われるのは玉村訳だが、全体的に構成の変更や省略がなされているほか、編訳者による解説が随処に差し挟まれているため、原文と対照するにはいささか不都合がある。また、松島訳は既述の通り、大幅な編集がなされた一九七五年の刊本がもとになっている。以上三者の翻訳および解説からはそれぞれ教えられることが多かったが、ここでは特定の訳文に依拠することなく、筆者が底本から新たに訳出した。ただし読者の便宜のため、註では丸括弧内に（関根・戸部訳／玉村訳）の頁数を添えている。

＊4 *Physiologie du goût*, op. cit., tome II, Méditation XXVIII, 136.（下巻二二四頁／下巻一八〇頁）

＊5 ただし、「生理学（physiologie）」はこの時代の書物に好んで用いられた語彙であり、そこにとりわけ深い意味はないと考えるのが自然である。

＊6 *Physiologie du goût*, op. cit., tome I, Méditation XVI, 78.（上巻二五八頁／上巻三三〇頁）

本文に書いたような「ガストロノミー」の由来からすれば、第一六省察「消化について」はとりわけ注目されてよい。ここでは人間が三種類に分類されている。それは、「規則正しい人、便秘がちの人、緩みがちの人」である。この直後には、「喜劇詩人は規則正しい人、悲劇詩人は便秘がちの人、哀歌や牧歌を書く詩人は緩みがちの人」という、どこまで本気で受け取ってよいのかわからない三分類が見られる。いずれにせよ、ブリア＝サヴァランによれば、「もっとも悲しい作品を書く詩人と、もっとも滑稽な作品を書く詩人は、結局のところ消化の度合いがいくらか異なるにすぎない」。

本書において、もっとも非道な人間が登場するのもこの章である。それはピエール・オージュロー（一七五七－一八一六）という軍人であり、この人物は食後に極端に機嫌が悪くなる人間の典型として、次のように形容される。「オージュロー元帥などは、まさしくここに数え入れられる人物である。かれは晩餐後の一時間のあいだ［pendant la première heure］、敵味方を問わず殺した」。
＊7　*Physiologie du goût*, op. cit., tome I, Méditation XIV, 72.（上巻二三八頁／上巻三〇七頁）［改行削除］
＊8　*Physiologie du goût*, op. cit., tome II, Méditation XXVIII, 135.（下巻一二三頁／下巻一七九頁）
＊9　Brillat-Savarin, *Physiologie du goût avec une Lecture de Roland Barthes*, op. cit., pp. 30-31.（前掲書、四三－四四頁）
＊10　*Physiologie du goût*, op. cit., tome I, Méditation I, 1.（上巻五二頁／上巻一七頁）［改行削除］

第三章　口唇

＊1　Roland Barthes, « Lecture de Brillat-Savarin », in Brillat-Savarin, *Physiologie du goût avec une Lecture de Roland Barthes*, Paris, Hermann, 1975, p. 30.（ロラン・バルト／ブリヤ＝サヴァラン『バルト、〈味覚の生理学〉を読む　付・ブリヤ＝サヴァラン抄』松島征訳、みすず書房、一九八五年、四二頁）
＊2　ロラン・バルト『サド、フーリエ、ロヨラ』の「覚書」によると、フーリエをめぐる伝記的事実について、バルトはもっぱらシモーヌ・ドゥブー＝オレスキエヴィッチ（一九一九－二〇二〇）による全集第一巻および第七巻の序文を参照していたようである。Roland Barthes, *Sade, Fourier, Loyola* (1971), in *Œuvres complètes, tome III : 1968-1971*, Paris, Seuil, 2002, p. 708.（ロラン・バルト『サド、フーリエ、ロヨラ』篠田浩一郎訳、みすず書房、一九七五年、一六頁）
　果たしてその序文に目を通してみると、そこで編者ドゥブーはたしかに、ブリア＝サヴァランをフーリエの「義兄弟（beau-frère）」として紹介している（*Œuvres complètes de Charles Fourier*, tome 1, Paris, Editions

Anthropos, 1966, p. VIII)。しかし、ジョナサン・ビーチャーや福島知己をはじめとするフーリエ研究者によると、この二人は遠戚関係にはあったものの、俗説が謳う義兄弟や従兄弟のような関係にはなかったというのが定説のようである。ほかならぬバルトの筆によってさらに広まったこの俗説は、フーリエが一七八九年にパリをたずねたさいに面倒をみた二人の義兄、すなわちアンティド・ド・リュバとフィリベール・パラ＝ブリアの二人が、いずれもブリア＝サヴァランと近しい人々であったという事実に起因するものと思われる（事実、このときに二人は直接会っている）。これについては次の二書を参照のこと。Jonathan Beecher, *Charles Fourrier, The Visionary and His World*, Berkeley, University of California Press, 1986, p. 33, 251.（ジョナサン・ビーチャー『シャルル・フーリエ伝――幻視者とその世界』福島知己訳、作品社、二〇〇一年、三九、二二一頁）／シャルル・フーリエ『増補新版　愛の新世界』福島知己訳、作品社、二〇一三年、七二〇頁（「解説」の註一〇三）

＊3　I, p. 159.（『四運動の理論』上巻、巖谷國士訳、現代思潮新社、一九七〇年［新装版二〇〇二年］、二六四頁）

フーリエのテクストはアントロポ全集を底本とし（*Œuvres complètes de Charles Fourier*, 12 tomes, Paris, Editions Anthropos, 1966-1968）、引用のさいはI, p. 123のように巻数と頁数を明記する。邦訳がある場合は頁数を併記するが、底本の異同もあり、訳文はかならずしも同一ではない。なお、フーリエによる特異な用語の訳出にあたっては、福島知己による「用語集」（『増補新版　愛の新世界』前掲書、七三一‐七三七頁）を参照した。

なお、フーリエの『四運動の理論』が、ジョゼフ・ベルシューの長篇詩『ガストロノミー』（一八〇一）からさほど間をおかず発表されていることは、やはり見過ごすべきではないだろう。フーリエがこれを批判したのは、ちょうどグリモ・ド・ラ・レニエールの『美食家年鑑』（一八〇三‐一八一二）などを通じて、パリを中心に「ガストロノミー」という言葉が広がりを見せつつあった時期であった。本文にも書いたように、ブリア＝サヴァランの『味覚の生理学』が登場するのは、それから一五年以上先のことである。これら美食家に対するフーリエの評価は、一貫して冷淡なものだった（VI, pp. 255-256; VIII, p. 283)。

＊4　I, p. 160.（『四運動の理論』上巻二六五頁）［改行削除］

＊5　I, p. 160.（同前、上巻二六五頁）

＊6　I, p. 170.（同前、上巻二八〇－二八一頁）［強調引用者］

＊7　I, p. 180.（同前、上巻二九七頁）

＊8　I, p. 111.（同前、上巻一八九頁）

＊9　I, p. 115.（同前、上巻一九三頁）

＊10　VI, p. 285.

＊11　I, p. 171.（『四運動の理論』上巻二八二頁）

＊12　フーリエのビュジェ時代については次を参照のこと。Jonathan Beecher, *Charles Fourrier, The Visionary and His World*, op.cit., 7 "The Vitruous Countryside," pp. 140-157.（ジョナサン・ビーチャー『シャルル・フーリエ伝——幻視者とその世界』前掲書、第七章「有徳の田園」一二九－一四四頁）

＊13　IV, pp. 174-179.

＊14　I, p. 228.（『四運動の理論』下巻六五頁）

＊15　Roland Barthes, « Lecture de Brillat-Savarin », in Brillat-Savarin, *Physiologie du goût*, op. cit., p. 18.（『バルト、〈味覚の生理学〉を読む』前掲書、二一－二二頁）

第四章　食客

＊1　Emanuele Coccia, *La Vie des plantes : Une métaphysique du mélange*, Paris, Éditions Payot & Rivages, 2016.（エマヌエーレ・コッチャ『植物の生の哲学――混合の形而上学』嶋崎正樹訳、勁草書房、二〇一九年）同書の日本語訳はきわめて流麗で読みやすいものであるが、ここでは原文の概念や段落分けを維持することを優先して、フランス語から――しばしば大幅に――訳しなおした。
なお、コッチャのはじめの二冊の単著『感覚的生』(*La Vie sensible*, Paris, Éditions Payot & Rivages, 2010) および『事物における善』(*Le Bien dans les choses*, Paris, Éditions Payot & Rivages, 2013) は、初出こそフランス語だが、これらはイタリア語の原文をマルタン・リュエフが仏訳したものである。

＊2　Ibid., p. 19.（同前、九－一〇頁）

＊3　Ibid., p. 66.（同前、六七頁）

＊4　Emanuele Coccia, *Métamorphoses*, Paris, Éditions Payot & Rivages, 2020.（エマヌエーレ・コッチャ『メタモルフォーゼの哲学』宇佐美達朗・松葉類訳、勁草書房、二〇二二年）

＊5　この問題をめぐって参照可能な研究書はさほど多くない。その数少ない例外として次を参照のこと。Myriam Roman et Anne Tomiche (eds.), *Figures du parasite*, Clermont-Ferrand, Presses Universitaires Blaise Pascal, 2001.
この論文集は、とくにヨーロッパ文学における「食客」の形象を広く見ていこうとする読者にとっては――巻末の作品リストも含めて――裨益するところがきわめて大きい。しかしひるがえって、同書はそもそもの「食客」をめぐる理論的な考察にはさほど踏み込んでおらず、その理論的な解読格子のほとんどを、次註に挙げるミシェル・セールの『パラジット』に負っている。

*6 Michel Serres, *Le Parasite* (1980), Paris, Hachette, 2014, p. 69.（ミッシェル・セール『パラジット――寄食者の論理』及川馥・米山親能訳、法政大学出版局、一九八七年、五五頁）

*7 詳しくは次を参照のこと。納富信留『ギリシア哲学史』筑摩書房、二〇二一年、三二一-三三〇頁。

*8 現在参照しうる文献のなかに、ルキアノスの人となりを伝える客観的な資料はない。この先で見るルキアノスの人物像は、『夢』や『二重の訴訟』をはじめとするルキアノスの自伝的作品に基づき、これまでの研究史において踏襲されてきたものである。ゆえに、そこに著者その人の虚飾や諧謔が含まれている可能性は排除できない。

*9 Lucian, *The Parasite*, 4 in *Luciani Opera*, edited by Matthew Donald Macleod, 4 volumes (Oxford Classical Texts, 1972-1987).（『ルキアノス全集3　食客』丹下和彦訳、京都大学学術出版会、二〇一四年、一九〇頁）『食客』の日本語訳はおおむね丹下和彦訳に依拠したが、漢字かな開きや句読点など、本文との兼ね合いでわずかに修正を加えたところがある。また、あわせて「食客について」高津春繁訳、『世界文学大系64　古代文学集』呉茂一ほか訳、筑摩書房、一九六一年、一六五-一七八頁も参照した。

*10 Ibid., 9.（同前、一九四頁）

*11 Ibid., 13.（同前、一九九頁）

*12 Ibid., 30.（同前、二〇五頁）

*13 Ibid., 57.（同前、二二一-二二二頁）

*14 Michel Serres, *Le Parasite*, op. cit., p. 436.（ミッシェル・セール『パラジット』前掲書、四〇七-四〇八頁）

*15 Myriam Roman, « Parasites philosophes », in *Figures du parasite*, op. cit., p. 154.

第五章　海賊

*1 *M. Tulli Ciceronis De officiis*, edited by M. Winterbottom, Oxford, Oxford Classical Texts, 1994, I. 4.（キケロー「義務について」高橋宏幸訳、『キケロー選集9』岩波書店、一九九九年、一二八－一三〇頁）キケロ『義務論』の日本語訳はおおむね高橋宏幸訳に依拠したが、漢字かな開きや句読点など、本文との兼ね合いで修正を加えたところがある。

*2 ただし、より厳密に次のように言うこともできる。ダニエル・ヘラー＝ローゼンによると、「「義務［obligation］」という用語も、「責務［duty］」という単語も、ラテン語の *officium* と正確には合致しない。だが、これらのほかに、この古い表現により相応しい言葉は存在しない。ジョゼフ・エルグアルクは、これを「社会関係の領域における一連の行為と義務」を意味するものとして定義した」。Daniel Heller-Roazen, *The Enemy of All: Piracy and the Law of Nations*, New York, Zone Books, 2009, p. 191.（抄訳：ダニエル・ヘラー＝ローゼン「万人の敵――海賊と万民法」宮﨑裕助・星野太訳、『現代思想』二〇一一年七月号、一二五頁）
なお、同じく同書の示唆によると、ローマ時代におけるこのラテン語は、もっぱらギリシア語における「カテーコン（καθήκον）」の訳語として用いられていたようである。これはとりわけストア派において、「そこに到達すべき、ふさわしい行為」を意味した。なお、これはのちにカール・シュミットを通じて知られるようになった神学的概念としての「カテコーン（κατέχον）」――「抑止するもの」――とは異なる単語なので、混同に注意が必要である。

*3 *De officiis*, I. 57.（前掲書、一六一－一六二頁）

*4 *De officiis*, I. 39.（同前、一五二頁）

＊5 *De officiis*, I. 53.（同前、一六〇頁）

＊6 *De officiis*, III. 107.（同前、三四二頁）

引用文中で「海賊」とした一つ目の単語はpraedonibus、二つ目の単語はpirataである。高橋宏幸訳はこれらを「盗賊」および「海賊」と訳し分けているが、この一節においてこれらが同じ「海賊」を指していることは明らかであるため、ここでは同じ訳語を充てる。なお、これはほかの註で挙げる複数の外国語文献の方針を踏襲したものである。

＊7 阿部浩己「〈人類の敵〉海賊——国際法の遠景」『現代思想』二〇一一年七月号、一四七頁。

＊8 この問題をめぐって挙げるべき文献は多岐にわたるが、後述するシュミットの議論との関連もあり、さしあたっては次の書物を挙げておきたい。Peter Szendy, *Kant chez les extraterrestres. Philosofictions cosmopolitiques*, Paris, Minuit, 2011.

＊9 The Nyon Agreement, 181 L.N.T.S. 137, entered into force Sept. 14, 1937. *Human Rights Library*, University of Minnesota.（http://hrlibrary.umn.edu/instree/1937a.htm：二〇二二年一〇月三〇日閲覧）

＊10 Carl Schmitt, „Der Begriff der Piraterie“, in *Frieden oder Pazifismus? Arbeiten zum Völkerrecht und zur internationalen Politik 1924–1978*, Günter Maschke (Hrsg.), Berlin, Duncker & Humblot, 2005, SS. 508-517.（カール・シュミット「海賊行為の概念［一九三七年］」清水一浩訳、『現代思想』二〇一一年七月号、一三七－一四五頁）

＊11 シュミットの「海賊行為の概念」という論文は、ニヨン会議からほとんど間をおかず執筆・発表されたごく短いものだが、ここにはのちの『陸と海と』（一九四二）や『大地のノモス』（一九五〇）で論じられる問題の骨子がすでに見てとれる。同論文に光を当てた最近のおもな論文としては次の二篇がある。Daniel Heller-Roazen, "Introduction to 'The Concept of Piracy'," *Humanity: An International Journal of Human Rights, Humanitarianism, and Development*, University of Pennsylvania Press, Vol. 2, No. 1, Spring 2011, pp. 23-25;

Filippo Ruschi, « Les irréguliers : piraterie et *Kleinkrieg* chez Carl Schmitt », traduit par Guillaume Calafat, *Tracés. Revue de Sciences humaines*, 26, 2014, pp. 151-174.

また、後者のフィリッポ・ルスキは、まさしく「万人共通の敵」と題された長大な論文において、シュミットの議論を補うかのごとく、海賊のみならず漁師や商人といった「海」に関連する形象を幅広く論じている。Filippo Ruschi, "Communis hostis omnium'. La pirateria in Carl Schmitt," *Quaderni fiorentini per la storia del pensiero giuridico moderno*, Vol. 38, No. 2, 2009, pp. 1215-1276.

*12 Carl Schmitt, *Der Begriff des Politischen* (1932), 3. Auflage, Berlin, Duncker & Humblot, 1991, SS. 54-55.（カール・シュミット『政治的なものの概念』田中浩・原田武雄訳、未來社、一九七〇年、六三頁）

*13 Carl Schmitt, *Theorie des Partisanen : Zwischenbemerkung zum Begriff des Politischen* (1963), 2. Auflage, Berlin, Duncker & Humblot, 1975, S. 94.（カール・シュミット『パルチザンの理論』新田邦夫訳、ちくま学芸文庫、一九九五年、一九二頁）

*14 Carl Schmitt, *Der Begriff des Politischen*, op. cit., S. 30.（『政治的なものの概念』前掲書、二二頁）

*15 Daniel Heller-Roazen, *The Enemy of All: Piracy and the Law of Nations*, op. cit., p. 21.（「万人の敵」前掲論文、一一二頁）

*16 Carl Schmitt, *Theorie des Partisanen*, op. cit., S. 87.（『パルチザンの理論』前掲書、一八〇頁）

第六章 異人

*1 山本圭『不審者のデモクラシー——ラクラウの政治思想』岩波書店、二〇一六年、一七頁。同書は、エルネス

ト・ラクラウの政治思想をもとに、この「不審者」という形象を政治哲学の俎上に載せた数少ない試みである。

＊2 DL 6. 80.（『ギリシア哲学者列伝（中）』加来彰俊訳、岩波文庫、一九八九年、一七六‐一七八頁）『ギリシア哲学者列伝』の底本には次のものを用いる。*Diogenis Laertii Vitae philosophorum*, Miroslav Marcovich (ed.), Stuttgart, Bibliotheca Teubneriana, 1999-2002. 引用のさいはDL 1. 2のように巻数と節番号を明記する。同書の日本語訳はおおむね加来彰俊訳に依拠したが、訳語や文体の統一上、適宜修正を加えている。

＊3 DL 6. 54.（一五四頁）

＊4 Plutarch, *Quaestiones Convivales*, 7. 6.（プルタルコス『食卓歓談集』柳沼重剛編訳、岩波文庫、一九八七年、一八九頁）プルタルコスによるこの一節は、丹下和彦『食べるギリシア人——古典文学グルメ紀行』（岩波新書、二〇一二年、一七四頁）から教示を得た。

＊5 DL 6. 38.（一四一頁）

＊6 DL 6. 69.（一六七頁）

＊7 ミシェル・オンフレは、ディオゲネスと「食」をめぐって書かれた洒脱なエセーのなかで、このニーチェの言葉を引き合いに出している。Michel Onfray, *Le Ventre des philosophes. Critique de la raison diététique*, Paris, Grasset, 1989, II. « Diogène ou le goût du poulpe ».（ミシェル・オンフレイ『哲学者の食卓——栄養学的理性批判』幸田礼雅訳、新評論、一九九八年、第二章「ディオゲネスとタコの味」）
　これ以外にもオンフレは、おのれの叢書からディオゲネスにまつわる文献を刊行するなど、今日におけるディオゲネスの再発見を積極的に推し進めてきた人物のひとりである。だが、その内容は厳密に学問的なものではなく、そこには人々の耳目を集めるためのさまざまな歪曲が含まれていることは否定できない。たとえば次の文献は、オンフレみずから序文を寄せ、叢書「Universités populaires & Cie」に加えたものだが、これが「ディオゲネスの新発見テクスト」であるというのは、どのように考えても誇張か虚偽である。*Diogène le*

Cynique. Fragments inédits, présentés et traduits par Adeline Baldacchino, Paris, Autrement, 2014.

＊8　この「通貨変造」をめぐる——世界的に見ても——もっとも充実した文献のひとつが、山川偉也『哲学者ディオゲネス——世界市民の原像』（講談社学術文庫、二〇〇八年）である。同書は、現地視察を含めた綿密な調査・考証を土台としながら、ディオゲネスによるこの「通貨変造」問題について、数々の興味ぶかい仮説を示している。

＊9　DL 6. 29.（一三四頁）

＊10　DL 6. 74.（一七一‐一七二頁）

＊11　DL 6. 32.（一三七頁）

＊12　DL 6. 20.（一二七頁）

＊13　DL 6. 22.（一二九頁）

＊14　DL 6. 40.（一四三頁）

＊15　DL 6. 32.（一三六‐一三七頁）

＊16　DL 6. 41.（一四四頁）

＊17　DL 6. 60.（一五九頁）

＊18　DL 6. 63.（一六二頁）

　ペーター・サンディが言うように、この「コスモポリタン」という言葉のルーツをディオゲネスに求めることは可能であるにしても、その政治的な含意は、のちのカントにおいてはじめて示されたとみるべきであろう。それはとりもなおさず、ディオゲネスに帰される「コスモポリテース」という語彙が、『ギリシア哲学者列伝』のこの一節に登場するにすぎないからである。ちなみにサンディは、この「コスモポリテース」をめぐるやりとりが——ディオゲネスではなく——従来しばしばソクラテスに帰されてきたことを、モンテーニュの『エセー』を引き合いに出しながら示している。Peter Szendy, *Kant chez les extraterrestres. Philosofictions cosmopolitiques*, Paris, Minuit, 2011, pp. 59-60.

＊19 山川偉也は『哲学者ディオゲネス』において、この「クセノス（異人）」をめぐる議論を「ウーティス（だれでもないもの）」というべつの語彙へと接続している（前掲書、一四三頁）。だが、われわれの理路はむしろ、この「クセノス」と「ウーティス」を分けて考えようとするものである。ホメロスの『オデュッセイア』において、ポリュペーモスに捕らえられたオデュッセウスが用いた偽名が「ウーティス（Οὖτις）」であった。これは代名詞の「だれでもないもの（οὔτις／nobody）」を転用したものであり、この機転によってオデュッセウスは命からがら危機を脱する。このエピソードをめぐる詳しい考察については、次を参照のこと。Daniel Heller-Roazen, *No One's Ways: An Essay on Infinite Naming*, New York, Zone Books, 2017, pp. 7-11.

＊20 Jenny Odell, *How to Do Nothing: Resisting the Attention Economy*, New York, Melville House, 2019.（ジェニー・オデル『何もしない』竹内要江訳、早川書房、二〇二一年）

第七章　味会

＊1 九鬼周造のテクストはすべて『九鬼周造全集』（全一二巻、岩波書店、一九八〇－一九八二年）に依る。ただし、岩波文庫の『「いき」の構造』や『偶然性の問題』の編集方針に倣い、本文は現代仮名づかいに改め、一部の漢字表記を平仮名に変えた。圏点や引用符なども、同様の方針にしたがって傍点や「」に改めている。また参照の便宜のため、岩波文庫で読みうるものについては、同じく頁数を明記する。

＊2 第五巻、四七七頁。

＊3 第五巻、二三七－二三八頁／『九鬼周造随筆集』岩波文庫、一九九一年、一八四－一八五頁。

*4　藤田正勝は、下村寅太郎の証言として次のような興味ぶかいエピソードを挙げている。「京都大学の九鬼の哲学史講座で、また田辺元の哲学講座で講師を務めた下村寅太郎が、『遭逢の人』と題した随想集に、それに関わる文章を残している。偶然論を構想した動機は何だったのかと尋ねたとき、九鬼は、「ヨーロッパに留学中、白人の中で自分一人黄色であることの奇妙な印象から」と答えたということがそこに記されている」（藤田正勝『九鬼周造——理知と情熱のはざまに立つ〈ことば〉の哲学』講談社、二〇一六年、一〇九‐一一〇頁）。

　なるほど、この下村の証言はたしかに無視できないものがある。ただしその内容に鑑みるに、これは九鬼の偶然論のなかでも、もっぱら後出の「定言的偶然」に関わるものであるように思われる。九鬼において、「偶然」への関心が初期の短歌においてすでに胚胎していたことに鑑みると、九鬼が偶然論に取り組むにいたった経緯については、そこに伏在するいくつかの要素を考慮する必要があるように思われる。

*5　第三巻、一四五‐一四六頁／『人間と実存』岩波文庫、二〇一六年、一五八‐一五九頁。

*6　第三巻、一二二頁／同前、一三四頁。

*7　第三巻、一二四頁／同前、一三六頁。

*8　宮野真生子は、こうした文脈での「汝」が、「自己における他性」と「実際の他者」の両方の意味を含んでいることをただしく指摘している（宮野真生子『出逢いのあわい——九鬼周造における存在論理学と邂逅の倫理』堀之内出版、二〇一九年、二三四頁）。他方、ここでわたしが強調したいのは、この「我」と「汝」の邂逅という問題が、そもそも人間的な次元に限定されないということである。

*9　松岡正剛「面影と偶然性」『現代思想』二〇一七年一月臨時増刊号、五三‐五七頁。

*10　第二巻、一二〇頁／『偶然性の問題』岩波文庫、二〇一二年、一三三頁。

*11　第二巻、二一〇頁／同前、二二九頁。

*12　第一巻、一六‐二二頁／『「いき」の構造　他二篇』岩波文庫、二〇〇九年、二三‐三〇頁。

＊13　第五巻、三四‐三五頁／『九鬼周造随筆集』八〇‐八一頁。
＊14　第五巻、二三八頁／同前、一八五頁。
＊15　第一巻、七二頁／『「いき」の構造　他二篇』九五頁。
＊16　第一巻、七三頁／同前、九六‐九七頁。
＊17　別巻、九五‐九六頁。
＊18　坂部恵『不在の歌――九鬼周造の世界』TBSブリタニカ、一九九〇年、七一‐一〇四頁。
＊19　Shuzo Kuki, *The Structure of Iki*, translated by Hiroshi Nara, Tokyo, Kodansha International, 2008, p. 184, 186.
＊20　ここまでの試みは、宮野真生子が言うところの「邂逅の倫理」とはまた異なる、九鬼の「邂逅の美学」を示すことにあった（宮野真生子『出逢いのあわい』前掲書）。おそらくそのように言うこともできるだろう。

第八章　坐辺

＊1　北大路魯山人のテクストはすべて『魯山人著作集』（全三巻、平野雅章編、五月書房、一九八〇年）に依る。なおかつ参照の便宜のため、文庫に再録されたものについては、書誌情報とともに頁数を明記する（ただし、両者の細かな異同については逐一指摘しない）。
＊2　第一巻、三八七頁（『魯山人陶説』平野雅章編、中公文庫、一九九二年、二九三頁）。
＊3　第二巻、一八三頁（『魯山人書論』平野雅章編、中公文庫、一九九六年、一七七‐一七八頁）。
＊4　第二巻、一二四頁（『魯山人書論』一〇一‐一〇二頁）。
＊5　魯山人の伝記は複数あるが、ここではとくに白崎秀雄『北大路魯山人』（全二巻、ちくま文庫、二〇一三年）

と長浜功『真説　北大路魯山人――歪められた巨像』（新泉社、一九九八年）を挙げておこう。前者の白崎秀雄（一九二〇－一九九三）は、『北大路魯山人』（文藝春秋、一九七一年）や同書の新版（全二巻、新潮社、一九八五年）を通じて、魯山人の悪漢としての印象を定着させることに大きく寄与した。後者の長浜功（一九四一－）は『真説　北大路魯山人』のほか、『北大路魯山人――人と芸術』（双葉社、二〇〇〇年）などを通じて、この「悪漢」魯山人の印象をくつがえすことにもっぱら力を注いでいる。

かくのごとく、毀誉褒貶の激しい魯山人であるが、それら異なる立場から書かれた文献を総合するかぎり、魯山人のいう「優れた」人間が、いわゆる「高潔な」人格と等号で結ばれるものでないことは断言してよいと思われる。

＊6　第三巻、四六三頁（『魯山人陶説』二三三頁）。

＊7　第三巻、四六四頁（『魯山人陶説』二三五頁）。

＊8　第三巻、四四七頁（『魯山人陶説』二四六頁）。

＊9　第三巻、四五二－四五三頁（『魯山人陶説』二三七－二三八頁）。

＊10　第二巻、六四－六五頁（『魯山人書論』二八頁）。

＊11　第三巻、三〇〇頁（『魯山人味道』平野雅章編、中公文庫、一九九五年、二二九頁）。

＊12　第一巻、四〇三－四〇四頁（『魯山人の真髄』河出文庫、二〇一五年、一四六頁）。

＊13　第一巻、四六九－四七〇頁（『魯山人陶説』三〇九頁）。強調記号を鉤括弧に改めた。

＊14　第一巻、四一七頁（『魯山人陶説』三〇三頁）。改行を一部削除した。

＊15　中村光夫「北大路魯山人」『中村光夫全集』第一二巻、筑摩書房、一九七二年、五六四頁。「　」内の句点を一部削除した。

＊16　大澤信亮「批評と殺生――北大路魯山人」『神的批評』新潮社、二〇一〇年、一六七－二三四頁。

＊17　大澤信亮「食い破る崇高」『魯山人の真髄』前掲書、二〇八頁。

*18 Immanuel Kant, *Kritik der Urteilskraft* (1790), Hamburg, Felix Meiner Verlag, 2006, § 46.（イマヌエル・カント『判断力批判』熊野純彦訳、作品社、二〇一五年、二八〇頁）

*19 Jacques Derrida, « Economimesis », in Sylviane Agacinski et al., *Mimesis des articulations*, Paris, Aubier-Flammarion, 1975, pp. 57-93.（ジャック・デリダ『エコノミメーシス』湯浅博雄・小森謙一郎訳、未來社、二〇〇六年）

*20 第二巻、二八四頁（『魯山人の真髄』一五六頁）。

第九章　飲食

*1 藤原辰史『分解の哲学——腐敗と発酵をめぐる思考』青土社、二〇一九年、二三九頁。さらに本書は、同書の終章「分解の饗宴」が提起する問題からも、同じくさまざまな示唆を得ている。たとえば次のような一節——「分解とは、壊しすぎないようにした各要素を別の個体の食事行為やつぎの何かの生成のために保留し、それに委ねることであり、それゆえ分解は、各要素の合成である創造にとって必須の前提基盤である［……］。究極的には、分解論とは食論、すなわち、脱領域的かつ拡張的に「食現象」を再考することにほかならない」（同書、三一七‐三一八頁）。

*2 Chigozie Obioma, *An Orchestra of Minorities*, New York, Little, Brown and Company, 2019.（チゴズィエ・オビオマ『小さきものたちのオーケストラ』粟飯原文子訳、早川書房、二〇二一年、四頁）

*3 石原吉郎のテクストはすべて『石原吉郎全集』（全三巻、花神社、一九七九‐一九八〇年）に依り、巻・頁数を示す。

＊4　第二巻、五頁。
＊5　第二巻、五 - 六頁。
＊6　郷原宏『岸辺のない海――石原吉郎ノート』未來社、二〇一九年、一三三、三〇八頁。
＊7　第二巻、八頁。

なお、『海への思想』（一九七七）に収められた「ソ連強制収容所にて」というテクストは、東京12チャンネル「私の昭和史」（一九七三年四月一七日放送）の談話を元にしたものであり、ここでも「ある〈共生〉の経験から」とほぼ同じ内容が語られている。それはほとんど定型文のごときものであり、まさしくその事実が――さきほどの郷原宏の証言とあわせて――ひとつの問題を含んでいると見てよい。やや長くなるが、ここで当該の一節をそのまま見ておくことにする。

「バムでは、食事は一日二回。朝は黒パン、夕方はうすいスープ、それが主食です。まあ、食事が最大の問題になりますが、このことでぼくはこんな経験をしているんです。それは、バムに行く前、最初に入れられたアルマ・アタの収容所でですが、ここは民間抑留者が主体です。一般捕虜はみんな食器――飯盒を携行して行く。しかし、われわれは、そういう一般捕虜と違いますから、食器の数がものすごく少ない。そのために二人にひとつをあてがわれるんですね。これは非常に残酷なことで、とにかく、あっという間に競争で食べてしまう。こういう状態が長く続くと、いつかは腕ずくの争いになるという予感が生じるわけです。で、公平な分配をすることを、一生懸命に考えました。いちばん最初にやったのは、両方が同じ寸法のサジを手に入れて、それで交互にすくって食べる。ところが、厳密に同じ寸法のサジというのは手に入らなかった。だからこれも長続きしなくて、次に考えたのは、食器のまんなかに仕切りを立てることです。でも、この時は主としてアワの粥でして、すき間から逃げてしまいます。これも駄目ということで、結局、最後には、罐詰の空罐ですね、これを拾って来て、盛り分けることにしました。ソ連の罐詰の規格というのは、二、三種類しかありませんから、寸法のそろったものをいくらでも手に入れることができるのです。で、片方が分配者になって相手がそれを監視するわけですよ。それで、相手の目の前で、分配して、終ったところで、どっちの罐を取るか、今度はその決定が必要なわけです。分配者が、相手に後を向かせる。そうしておいて、一方の罐にサジを入れる。「お前はどっちだ。サジの入った方か、どっちだ」と聞く。それに対して、「おれ」とか「お前」とか答えて、罐の所属が決まるわけですよ。その場合、答えた者は、すぐふり向かないといけない。でないと、相手の答に応じて、分配者がサジを入れかえてしまう恐れがある。こんなことが、それこそ必死に行なわれるわけです」(第三巻、五九-六〇頁)。

＊8 細見和之『石原吉郎──シベリア抑留詩人の生と詩』中央公論新社、二〇一五年、一一九頁。なお、こうした「シベリア・エッセイ」の相対化と、それに対応する「ポエジーの復権」という事態は、最近の石原吉郎論におおむね共通してみられる特徴である(野村喜和夫『証言と抒情──詩人石原吉郎と私たち』白水社、二〇一五年、二七〇頁)。

＊9 第二巻、五八七頁。

＊10 第二巻、三二六、三二八頁。

＊11 第一巻、一四〇-一四一頁。

＊12 第一巻、四六七-四六八頁。

＊13 第二巻、六八-六九頁。

＊14 ただし厳密に言うと、「恢復期」はすでに一九五〇年のハバロフスクにおいて始まっていた。「八時間の労働と、日に三度の平等な食事」にありついた石原吉郎を待ち構えていたのは「暴力的」なまでの肉体の恢復であった。これはこれでべつに論じられるべき問題であるが、それでもこの時期の石原が、いったん失語状態から恢復し、俳句・小説・脚本をはじめとする表現活動に従事していたことは、紛れもない事実である。なお、帰国を間近に控えたハバロフスクでの文学活動については、井口時男「大方想太郎のこと──石原吉郎証言断片」(『五七五』第六号、草子舎、二〇二〇年、一八-一九頁)を参照のこと。そこで井口は石川徳郎「過ぎゆ

きし時と人と——石原吉郎・その他」（『農民文学』一九八四年冬季号）を紹介しつつ、「大方想太郎」というハバロフスクでの石原吉郎の筆名を詳らかにしている。

*15 第二巻、三一九–三二〇頁。

*16 第二巻、三三三頁。

*17 第二巻、五一八頁。

*18 第二巻、五一八–五一九頁。

*19 鮎川信夫「「一期」の詩」『石原吉郎全集Ⅲ』手帖、花神社、一九八〇年、五–八頁。

*20 第二巻、二八三–二八四頁。

第十章　寄生（プロローグ）

*1 高桑和巳「その他の人々を見抜く方法」『アガンベンの名を借りて』青弓社、二〇一六年、一〇六頁。あわせて次も参照のこと。高桑和巳「バートルビーの謎」、ジョルジョ・アガンベン『バートルビー　偶然性について』高桑和巳訳、月曜社、二〇〇五年、一六一–二〇一頁。

*2 Jacques Lezra, *On the Nature of Marx's Things: Translation as Necrophilology*, New York, Fordham University Press, 2018, p. 108. なお、同書でジャック・レズラが論じている主要テクストのひとつが、ボルヘスの手による『バートルビー』のスペイン語訳である。

*3 Herman Melville, *Bartleby, the Scrivener: A Story of Wall-Street* (1853), in *The Complete Shorter Fiction*, London, D. Campbell, 1997, p. 43.

＊4　Hannah Arendt, *Lectures on Kant's Political Philosophy*（1982）, Chicago, University of Chicago Press, 1992, pp. 67-68.（ハンナ・アーレント『完訳　カント政治哲学講義録』仲正昌樹訳、明月堂書店、二〇〇九年、一一五頁）

＊5　Jacques Derrida, *Le Toucher, Jean-Luc Nancy*, Paris, Galilée, 2000, p. 205.（ジャック・デリダ『触覚、ジャン＝リュック・ナンシーに触れる』松葉祥一・榊原達哉・加國尚志訳、青土社、二〇〇六年、三三九頁）

あとがき

大学三、四年生のころ、授業が終わると、今はなき中野武蔵野ホールで二本立ての任俠映画を観るのが日課になっていた。本郷三丁目から丸ノ内線に乗り、すぐとなりの御茶ノ水駅で中央線に乗り換えていたのだったか、それとも切符代の節約のために、定期券を買っていた千代田線の根津駅から遠回りしていたのだったか——もはや、その詳細な経路を思い出すことはできない。だが、あの客入りの少ない映画館で観た「昭和残俠伝」や「緋牡丹博徒」といったシリーズの数々は、今もありありと脳裏に焼きついている。

加藤泰の『緋牡丹博徒　花札勝負』（一九六九）や、鈴木則文の『シルクハットの大親分』（一九七〇）をはじめとする個々の作品の素晴らしさ、さらにはそこで獅子奮迅の活躍をみせる緋牡丹のお竜（藤純子）や熊虎親分（若山富三郎）の魅力など語るべきことは尽きないが、それはここでの本題ではない。いま話題にしたいのは、この種の任俠映画には不可欠ともいえる「食客」なる存在についてである。

さきほどの「昭和残俠伝」や「緋牡丹博徒」などが典型だが、「仁義なき戦い」シリーズ以前のごくふつうの任俠映画といえば、流れ者である主人公（ないしその相棒）がその筋の一家に身を寄せ、彼らと抗争関係にある悪玉一家の計略にさんざん苦しめられながら、ついに勘弁ならぬと殴り込みをかけるところまでがおおむねワンセットである。水戸黄門や大岡越前といったテレビの時代劇と大差のない、ごく単純なドラマトゥルギーによって駆動される様式美こそ、わたしの愛した任侠映画のすべてであると言ってよい。そして、こうした単調さのなかにひそかに刻印された幾人かの映画作家（加藤泰、鈴木則文……）の署名を発見するのが、当時のわたしにとっては何より大きな歓びだった。

ともあれ、二本立てに足繁く通っていた当時から時は経ち、わたしの関心は、これら任侠映画の中心にいる「食客」という存在にむけられていった。劇中では「客人」などとよばれもする彼ら渡世人は、俗に言う「一宿一飯の恩義」を忠実になぞるかのごとく、みずからにつかの間の安息を与えてくれた一家のために命を賭ける。むろん、劇中の彼らは圧倒的な戦闘力を持っているため、それまで悪行のかぎりを尽くしてきた悪玉一家は彼らによって一掃され、めでたし、めでたしというのが一般的な結末ではある。しかしそれにしても、流れ者たる彼ら侠客が、一時的に身を寄せた家のために命を賭すのが当然であるといったその倫理観《エチカ》は、たんなる美談で済ませることのできない過剰な何かをわたしのなかに植えつけた。

この「食客」という魅力的な呼称をもつ彼らにふたたび思いを馳せるようになったのは、ある展覧会のカタログに「パラサイトの条件」という小さな原稿を書いたことがきっかけだった。二〇一二年のことである。

そのころ、わたしは「寄生」という哲学的テーマに強く惹きつけられていた。もちろん「哲学的テーマ」とはいっても、過去にそのようなものがはっきり存在していたわけではない。その動機はかなり漠然としたもので、ごくかいつまんで言えば、当時のわたしは「共生」という耳馴染みのよい言葉に、どこか違和感を抱いていたのだと思う（そのころわたしは「共生」を掲げる大学内の組織で働いていた）。

なるほど、「共生の哲学」ならばいまや巷に溢れ、社会的にも少なからずその重要性が認知されている。広がる経済格差や宗教間の衝突、あるいは排外主義の問題に代表されるように、現実の社会における「共生」がますます喫緊のものとなりつつある事態の反映として、人文・社会科学系の学問における「（多文化）共生」というお題目が、国家主導の予算配分において一定のプライオリティを得ていることも、紛れもない事実としてある。

ひるがえって、それとわずか一字を異にする「寄生の哲学」という文字面は、むしろひとを怪訝な気持ちにさせる、一種の不穏な響きすらともなうのではないか。だがそれゆえにこそ、わたしは「共生」よりも「寄生」について考えねばならない、というよくわからない思いを、つねに胸のうちに抱え込んできた。そのとき、かつてスクリーンで見たあの食客たちの姿が、わたしの意識の片隅になかったと言い切れるだろうか。

あるとき、食客＝パラサイトの語源をたずねてギリシア語の辞書をひいてみると、元々これは「穀物（sitos）」を「傍らで（para）」食べるもの、という意味だという。「穀潰し」という日本語が、すぐさま脳裡に浮かぶ。と同時に、この「傍らで」という接頭辞が共有ではなく排除の意味を強くもつことも、容易に想像可能であった。パラサイトは、その食卓を共にすべき「家族」や「友人」の共同体から周到に排除されている。そして、わたしがかつてスクリーンで見たあの食客たちもまた、家長と正式な盃を交わした「身内」ではなく、その命を賭して一宿一飯の恩を返すことを定められた「客人」なのであった。

本書でも見たように、かつてハンナ・アーレントは、食事を楽しむには少なくとも二人の人間が必要だと言った。その意味でいえば、食客は人間ですらない。彼らは、その食卓の傍らに居心地の悪い場を占め、その食事をくすねとる、文字通りの「寄生虫」のような存在なのだ。

そんなことを漠然と考えていたのが、もう五年ほど前のことになる。本書は、そんなわたしの漠たる構想に耳を傾けてくれた、講談社の森川晃輔さんなくしては成立しえなかった。雑誌連載時のみならず、単行本でも引き続き森川さんに編集を担当していただけたことは、わたしにとってこのうえなく幸運なことであった。本書に素晴らしい装いを与えてくださったデザイナーの北岡誠吾さんにも、あわせて御礼を申し上げたい。

本書を祖母に捧げる。

二〇二三年一月一四日

星野　太

初出一覧

第一章から第九章……「食客論」
（「群像」二〇二一年五月号～二〇二二年九月号まで隔月連載）

第十章……「パラサイト――やがて来る食客論《パラサイトロジー》のために」
（「群像」二〇二〇年七月号）を改稿

あとがき……「寄食者のエチカ」
（「群像」二〇一八年四月号）を改稿

星野太（ほしの・ふとし）

一九八三年生まれ。東京大学大学院総合文化研究科博士課程修了。現在、東京大学大学院総合文化研究科准教授。専攻は美学、表象文化論。主な著書に、『崇高の修辞学』（月曜社、二〇一七年）、『美学のプラクティス』（水声社、二〇二一年）、『崇高のリミナリティ』（フィルムアート社、二〇二二年）。主な訳書にジャン＝フランソワ・リオタール『崇高の分析論』（法政大学出版局、二〇二〇年）などがある。

装幀・本文デザイン……………北岡誠吾

食《しょっ》客《かく》論《ろん》

二〇二三年二月二七日　第一刷発行
二〇二三年四月一九日　第二刷発行

著者　星《ほし》野《の》太《ふとし》
発行者　鈴木章一
発行所　株式会社講談社
〒一一二―八〇〇一　東京都文京区音羽二―一二―二一
電話　出版　〇三―五三九五―三五〇四
　　　販売　〇三―五三九五―五八一七
　　　業務　〇三―五三九五―三六一五
印刷所　凸版印刷株式会社
製本所　株式会社国宝社

ISBN978-4-06-530545-4　Printed in Japan

KODANSHA